| 16 | 3  | 2  | 13 |
|----|----|----|----|
| 5  | 10 | 11 | 8  |
| 9  | 6  | 7  | 12 |
| 4  | 15 | 14 | 1  |

Coleção LESTE

Aleksandr Púchkin

# A FILHA
# DO CAPITÃO

*Tradução e notas*
*Boris Schnaiderman*

*Prefácio*
*Otto Maria Carpeaux*

editora■34

EDITORA 34

Editora 34 Ltda.
Rua Hungria, 592  Jardim Europa  CEP 01455-000
São Paulo - SP  Brasil  Tel/Fax (11) 3811-6777  www.editora34.com.br

Copyright © Editora 34 Ltda., 2022
Tradução © Herdeiros de Boris Schnaiderman, 2022

A FOTOCÓPIA DE QUALQUER FOLHA DESTE LIVRO É ILEGAL E CONFIGURA UMA APROPRIAÇÃO INDEVIDA DOS DIREITOS INTELECTUAIS E PATRIMONIAIS DO AUTOR.

Imagem da capa:
*Eugène Delacroix*, Cavaleiro nas colinas, *1832 (detalhe),*
*aquarela s/ papel, 19,4 x 12,7 cm, Château de Chantilly, França*

Capa, projeto gráfico e editoração eletrônica:
*Franciosi & Malta Produção Gráfica*

Revisão:
*Danilo Hora, Beatriz de Freitas Moreira*

1ª Edição - 2022

CIP - Brasil. Catalogação-na-Fonte
(Sindicato Nacional dos Editores de Livros, RJ, Brasil)

Púchkin, Aleksandr, 1799-1837
P598f    A filha do capitão / Aleksandr Púchkin; tradução e notas de Boris Schnaiderman; prefácio de Otto Maria Carpeaux — São Paulo: Editora 34, 2022 (1ª Edição).
208 p.  (Coleção Leste)

ISBN 978-65-5525-131-9

Tradução de: Kapitanskaya dochka

1. Literatura russa. I. Schnaiderman, Boris, 1917-2016. II. Carpeaux, Otto Maria, 1900-1978. III. Título. IV. Série.

CDD - 891.73

# A FILHA DO CAPITÃO

Nota da edição .................................................. 7
Prefácio, *Otto Maria Carpeaux* ........................ 11

### A FILHA DO CAPITÃO

I. O sargento da guarda .................................... 21
II. O guia ............................................................ 32
III. A fortaleza .................................................. 44
IV. O duelo ........................................................ 52
V. O amor .......................................................... 63
VI. A revolta de Pugatchóv ............................... 72
VII. O assalto .................................................... 84
VIII. O hóspede não convidado ........................ 93
IX. A despedida ................................................ 103
X. O cerco da cidade ......................................... 109
XI. O arrabalde amotinado ................................ 118
XII. A órfã ........................................................ 131
XIII. A prisão ................................................... 139
XIV. O julgamento ........................................... 147

Apêndices
"Capítulo suprimido" ....................................... 163
Sobre a *História de Pugatchóv*, *Danilo Hora* ..... 177
*História de Pugatchóv* (excerto), *A. S. Púchkin* .... 185

Sobre o autor ................................................... 206
Sobre o tradutor ............................................... 207

# NOTA DA EDIÇÃO

A primeira aparição de *A filha do capitão* se deu em 1836, no quarto e último volume da revista *O Contemporâneo*, meses antes da morte trágica de seu autor em um duelo. Púchkin publicou-o anonimamente, algo que fazia com certa frequência na revista que ajudara a fundar e da qual era o principal editor. Existe uma outra fonte textual direta do romance, o chamado "Manuscrito limpo", que contém algumas variantes que com o tempo vieram sendo silenciosamente incorporadas às edições póstumas de *A filha do capitão*. Pável Ánnenkov, contemporâneo do autor e primeiro editor de suas obras completas, havia mencionado a existência de um capítulo perdido do romance; em 1880 foi encontrada, entre os papéis de Púchkin, uma pasta com o título "Capítulo suprimido".[1] Em nenhum lugar Púchkin explicou os motivos que o levaram a excluir esse capítulo, mas sabemos que ele pertence a uma versão do romance anterior àquelas de *O Contemporâneo* e do "Manuscrito limpo".

A presente edição de *A filha do capitão* traz o texto que Boris Schnaiderman traduziu e publicou em 1949 pela editora Vecchi, sob o pseudônimo Boris Solomonov. A belíssima tradução de Boris Schnaiderman seguia à risca a versão de *O Contemporâneo*, com exceção de um detalhe: o "Capítulo

---

[1] Publicado sob o título "Novaia glava iz *Kapitanskoi dotchki* Puchkina" ("Um novo capítulo de *A filha do capitão*, de Púchkin"), na revista *Russkii Arkhiv*, 1880, nº 3, pp. 218-28.

suprimido" estava integrado ao capítulo XIII de *A filha do capitão*. A julgar pela relação criteriosa que Schnaiderman manteve com o texto de Púchkin, podemos presumir que essa interpolação do "Capítulo suprimido" se deva a uma intromissão editorial, algo de que Schnaiderman se queixou mais de uma vez.

Muito já foi dito sobre a dificuldade de transmitir o valor da prosa de Púchkin ao leitor estrangeiro; por isso é digno de nota o fato de essa questão ter sido levantada ainda durante a vida do autor. Há uma carta do historiador Aleksandr Turguêniev que conta que Prosper de Barante, diplomata francês e tradutor de Schiller, certa vez ofereceu-se para traduzir *A filha do capitão* para a sua língua, desde que Púchkin o ajudasse; a tradução nunca foi realizada, nem sequer sabemos se Púchkin chegou a considerá-la. Nessa mesma carta Turguêniev antecipa as preocupações de dois séculos de editores e puchkinistas: "Mas como dará ele expressão à originalidade desse estilo, a esse período histórico, a esses personagens da velha Rússia, a esse encanto virginal russo, bosquejados por todo o romance? O verdadeiro encanto reside na forma de contar, e é difícil recontá-la em outra língua".[2]

A extraordinária concisão e economia de procedimentos narrativos, características marcantes da prosa de Púchkin, deixaram uma marca indelével em toda a literatura russa moderna. Pável Ánnenkov faz um balanço qualitativo dessa prosa: "Não havia ninguém mais apto a criar tal romance: seu modo de narrar, calmo, constante e imperturbável, a introduzir sem nenhum esforço eventos e personagens completamente vivos e finalizados; os passos firmes com os quais ele conduz ao acontecimento central, sem amontoar os espaços

---

[2] Carta de 9 de janeiro de 1837, em *Cartas de Aleksandr Turguêniev a Bulgákov*, Moscou, Gossudarstvennoe Sotsialno-Ekonomitcheskoe Izdatelstvo, 1939, p. 204.

vazios, sem enfeitar e sem espargir pormenores, o que hoje se tornou condição indispensável para o sucesso — tudo isso reforçava a possibilidade de Púchkin atingir plenamente seu objetivo. Mesmo hoje, depois das obras poderosas de Gógol, a narrativa de Púchkin, luminosa, em fluxo contínuo, como um córrego cristalino, possui um fascínio para aqueles que têm o senso estético cultivado".[3] E o próprio Gógol, antípoda em todos os sentidos desse estilo clássico, considerava *A filha do capitão* "de longe a melhor obra russa do gênero narrativo": "Comparados a este, todos os nossos romances e novelas parecem mingaus açucarados. A pureza e a ausência de artifício foram elevadas a tal nível que diante dele a própria realidade parece artificial e caricaturesca".[4]

Em virtude dessas considerações, optou-se nesta edição por inserir as variantes textuais mais significativas do "Manuscrito limpo" — que são, em sua maior parte, acréscimos ao texto de *O Contemporâneo* — em notas de rodapé, e por desfazer a interpolação do "Capítulo suprimido", que pode ser encontrado nos apêndices deste volume, junto a dois capítulos da *História de Pugatchóv*, um estudo histórico que Púchkin publicou em 1834 e cuja composição está profundamente entrelaçada à criação de *A filha do capitão*.

---

[3] Pável Ánnenkov, *Materiais para uma biografia de A. S. Púchkin*, Moscou, Sovremiênnik, 1884, pp. 192-3.

[4] Nikolai Gógol, "No que enfim consiste a essência da poesia russa e qual é sua particularidade", em *Obras completas e cartas em 17 tomos*, t. 4, Moscou/Kíev, Izdatelstvo Mosckovskoi Patriarkhi, 2009, p. 171.

# PÚCHKIN E *A FILHA DO CAPITÃO*

*Otto Maria Carpeaux*

A grande literatura russa está bastante divulgada e conhecida no Brasil. Gógol e Dostoiévski, Tolstói e Gontcharóv, Tchekhov e Górki são autores familiares aos nossos leitores. Mas não acontece assim com Púchkin. Seu nome é famoso, sim, como sendo ele o maior poeta russo. Mas nisso mesmo está a razão da menor divulgação de sua obra fora da Rússia. Sempre é difícil traduzir poesia. É duas vezes mais difícil traduzir, para as línguas ocidentais, poesia russa, baseada numa língua tão diferente. Por isso é preciso apresentar aos nossos leitores a vida e a obra de Púchkin quando se trata de introduzir sua famosa novela *A filha do capitão*.

Púchkin passa por ser o fundador da literatura russa. É uma afirmação pouco exata, pois o grande poeta teve, no século XVIII e no começo do século XIX, precursores notáveis: Lomonóssov, o grande cientista, também foi o primeiro poeta moderno da Rússia; Fonvízin escreveu as primeiras comédias de crítica da sociedade russa; Radíschev foi o mais radical dos críticos sociais em prosa, de modo que sua obra só depois da revolução de 1905 podia ser impressa; Dierjávin escreveu odes que passavam por obras-primas insuperáveis, e o próprio Púchkin foi influenciado por elas, embora declarasse, mais tarde, que seriam "mais chumbo que ouro"; as fábulas de Krilov são até hoje decoradas pelos colegiais russos e merecem essa sobrevivência; Karamzin foi o primeiro novelista e historiógrafo notável; Jukóvski foi grande tradutor de poemas gregos, alemães e ingleses e sua mestria verbal contribuiu muito para aperfeiçoar a língua poética russa.

Também é preciso observar que os eminentes contemporâneos de Púchkin — os poetas Liérmontov, Bátiuchkov e Baratínski, o comediógrafo Griboiédov, o romancista Zagóskin — não teriam sido o que foram se Púchkin não os tivesse influenciado. Apesar de tudo isso é Púchkin o "primeiro", o fundador. Foi gênio universal: grande poeta lírico e épico, grande dramaturgo, grande novelista. A opinião russa também o considera grande sábio, espécie de Goethe russo. A comparação talvez encerre um exagero. Mas Púchkin ocupa realmente na história da literatura russa o mesmo lugar que Goethe ocupa na história da literatura alemã.

Aleksandr Serguêievitch Púchkin nasceu em 1799, em Moscou, de uma família da antiga aristocracia russa; mas entre seus antepassados também se encontra um mulato, e Púchkin não sentia vergonha disso. Quando menino, entrou no Liceu de Tsarskoie Sieló, onde recebeu a educação afrancesada da "jeunesse dorée" russa de então: muito La Fontaine e Voltaire, poesia didática e filosofia irreligiosa a serviço da mais absoluta autocracia do mundo. Nessas circunstâncias, o gênio poético do menino precoce manifestou-se primeiro em versos libertinos, obscenos e irreverentes, embora uma ou outra poesia já levasse voo mais alto. Afirma-se que o famoso Dierjávin, ao ler essas primeiras provas de talento, já teria profetizado o grande futuro de seu jovem discípulo. Mas o ambiente não era favorável aos esforços sérios. As diversões mundanas devoraram o tempo que sobrou das aulas enfadonhas e dos exercícios militares na Guarda Imperial. E Púchkin era espírito rebelde. Observou seu mundo com olhos maliciosos. Entre seus colegas correram, manuscritos, alguns versos seus pelos quais altas personalidades do Liceu e da Corte se sentiam ofendidas. O jovem oficial foi expulso e condenado a servir em guarnições de províncias, no Sul da Rússia.

Esse exílio teve efeitos benéficos. Uma viagem ao Cáucaso abriu ao poeta os olhos para as belezas da paisagem e para os costumes pitorescos das populações montanhesas. Eram sensações incompatíveis com o gosto classicista francês de sua educação. Púchkin será romântico. A falta de vida mundana nas pequenas cidades deixou mais tempo livre para a leitura. O poeta descobriu a literatura inglesa. Leu Shakespeare e um drama shakespearizante alemão, o *Götz von Berlichingen* de Goethe. E escreveu no mesmo estilo o drama histórico *Boris Godunov*, dramatização do mesmo episódio sinistro e trágico da história russa que, meio século mais tarde, inspirará o gênio musical de Mussórgski. A obra não é escrita para o palco — embora a representação cênica não seja impossível — e, sim, para a leitura. Púchkin tinha encontrado o enredo na *História do Império Russo*, de Karamzin. Escolhera um episódio em que o povo se revolta contra a operação: o poeta aristocrático desejava mesmo o contato com a alma popular e com o solo nacional.

Outra leitura preferida desses anos foi Byron, também aristocrata e também espírito rebelde. Os poemas narrativos do inglês, com suas magníficas descrições de paisagens e com seus heróis infelizes, aventurosos pessimistas e cínicos, impressionaram fundamente o jovem poeta russo.

Embora escrito em 1825, foi *Boris Godunov* só em 1831 publicado. Pois, em 1825, Púchkin não estava em condições de publicar nada, porque a política tinha descoberto suas relações com os decabristas, oficiais que, influenciados pelas ideias da Revolução Francesa, conspiraram contra o tsar. A conspiração fracassou, alguns decabristas foram enforcados; outros, exilados na Sibéria. Púchkin tinha conseguido queimar os documentos subversivos que guardara em casa. Mas estava denunciado como simpatizante dos revolucionários. Apesar disso, o despótico tsar Nicolau I concedeu perdão ao poeta que, embora adversário do regime, aceitou a graça. As relações entre Púchkin e o tsar sempre ficaram, desde então, marcadas por certa ambiguidade. O tsar não compreendeu o gênio poético do jovem oficial; tampouco estava acostumado a respeitar as origens aristocráticas de seus inimigos; mas esperava transformar Púchkin em espécie de propagandista literário do tsarismo. O poeta, por sua vez, embora imbuído de convicções liberais, considerava o tsar como a personificação da soberania russa; e já era nacionalista. Estudava muito, naquele tempo, a *História do Império Russo*, de Karamzin. Mas é significativo que nessa obra, de inteira lealdade ao tsarismo, o fascinava o episódio da revolta popular de 1773, sob a liderança do cossaco Pugatchóv; será, mais tarde, o enredo da novela *A filha do capitão*.

São dessa época, em grande parte, as poesias líricas de Púchkin; entre outras, poemas tão notáveis como "O poeta" e "O profeta". Também traduziu para o russo a Lira 71 de *Marília de Dirceu*, do nosso Tomás Antônio Gonzaga, da qual, por vias ainda não completamente esclarecidas, uma versão francesa lhe tinha chegado às mãos. São da mesma época três peças dramáticas curtas, em um ato — *O cavaleiro avarento*, *O convidado de pedra* e *Mozart e Salieri* — cujo tema comum é o destino do artista no mundo. Enfim, *A dama de espadas*, novela romântica à maneira de E. T. A. Hoffmann, hoje sobretudo conhecida como base do libreto da ópera homônima de Tchaikóvski.

Obras capitais de Púchkin são os poemas narrativos à maneira de Byron: *A fonte de Bakhtchissarai*, *O prisioneiro do Cáucaso*, *Os ciganos*, e o grande poema histórico *Poltava*. Ao mesmo gênero também parece pertencer a obra-prima do poeta: *Ievguêni Oniéguin*. Também é espécie de romance em versos. O personagem principal é tipicamente byronesco, um homem nobre, inconformado com a vida, pessimista, cínico, dilacerando sua alma e destruindo a vida dos outros, sobretudo das mulheres. Personagens assim são os de Byron: Giaour, o Corsário e Manfred. É um tipo romântico, que assim já não existe em nosso mundo. É por isso que a poesia de Byron nos parece hoje antiquada. Mas, para os russos do século XIX, o personagem de Púchkin tinha sentido diferente: era o aristocrata culto e inteligente, mas ocioso, que não tem tarefa nem destino na vida, porque os humildes, os servos, trabalham por ele e para ele; que, por isso, se esgota em prazeres frívolos, mas já aborrecido por eles; um desesperado que infelicita os outros e a si próprio; uma vítima de sua consciência perturbada pelos remorsos. Ele se sente supérfluo neste mundo. E os outros chamam-no mesmo de supérfluo. Oniéguin não é o último personagem byronesco, mas o primeiro representante desse tipo russo que aparecerá nos romances de Turguêniev, Gontcharóv, Tolstói, Dostoiévski e nos contos e nas peças de Tchekhov. Já se vê que o personagem do supérfluo, Ievguêni Oniéguin, domina a literatura russa do século XIX. É justo considerar *Ievguêni Oniéguin* como o primeiro grande romance russo, no qual já estão prefigurados os problemas e a psicologia novelística dos seus sucessores. Acontece, porém, que *Ievguêni Oniéguin* está escrito em versos, ao passo que o século XIX é, na literatura russa, uma época da grande prosa. O futuro esquecerá, provavelmente, essa diferença, porque o romance moderno se aproxima cada vez mais de formas poéticas. Púchkin foi, em todos os sentidos, um grande precursor.

Também foi precursor no poema "O cavaleiro de bronze", cujo verdadeiro personagem principal é a famosa estátua equestre de Pedro, o Grande, de Falconet, em São Petersburgo, à beira do Nievá. Nesse poema iniciou Púchkin outro tema permanente da literatura russa: Petersburgo, a cidade fantástica e irreal, artificialmente criada nos pântanos pela vontade soberana do tsar e contaminando de irrealidade fantástica toda a vida russa.

Púchkin passou os últimos anos de sua curta vida na corte. Seu casamento com a bela e frívola Natália Gontcharova não foi feliz. Houve infidelidades, cartas anônimas, insultos, duelos. Em duelo, em 1837, Púchkin foi morto — mais exatamente: assassinado — pelo diplomata barão Heeckeren d'Anthès, um aventureiro.

Como seu Oniéguin foi Púchkin um homem contraditório: na vida e na poesia. Frívolo e sábio, cosmopolita liberal e nacionalista russo, discípulo da ligeira musa francesa do século XVIII e precursor do romance social do século XIX. Enfim, um romântico. E como romântico é que ele figura em todos os manuais e na história literária.

Mas a moderna crítica literária já abandonou essa tese. Sobretudo o crítico Viktor Jirmunski, em sua obra *Byron e Púchkin* (Leningrado, 1924), demonstrou que a influência de Byron sobre Púchkin limita-se a elementos formais: o gênero poético-narrativo, a paisagística etc. O próprio Byron não foi, aliás, romântico autêntico. Seu ceticismo aristocrático é herança do Século das Luzes; e sempre se considerou, nos versos, discípulo do classicista Pope.

Tudo isso também vale para Púchkin. Aos leitores ocidentais ele parece romântico. Para os russos, porém, ele é o grande clássico de sua literatura. Mas, na literatura russa, clássico é sinônimo de realista.

O nacionalismo do poeta também pode parecer romântico. Mas os românticos, em geral, tinham saudades do povo, como de um paraíso perdido. Para Púchkin, porém, o povo era uma experiência real. Na mocidade influenciaram-lhe profundamente o espírito a avó Maria Aleksêievna, senhora russa à antiga, e a ama-seca Arina Rodiónovna, à qual deveu o conhecimento da poesia popular, das lendas populares, dos contos de fadas. Sua primeira obra notável, *Ruslan e Liudmila*, é versão poética de uma lenda popular. Com o tempo, os contatos de Púchkin com o solo russo se identificaram cada vez mais. A *História* de Karamzin abriu-lhe os olhos para o passado nacional. O nacionalismo de Púchkin é um dos aspectos do seu realismo. E realista ele é sobretudo na prosa: nas novelas e nos contos.

A primeira incursão do poeta para o terreno da prosa foi o volume de narrativas *Contos de Biélkin* (1831). Antecipam os contos de Tolstói. Mas a obra principal do realismo puchkiniano, na prosa, é a novela *A filha do capitão*, escrita em 1836.

O enredo da novela é um episódio da grande revolta popular de 1773, liderada pelo cossaco Pugatchóv. Púchkin já tinha escrito um trabalho historiográfico sobre essa revolta, baseando-se em documentos da época e em testemunhos de sobreviventes. Já tinha, aliás, lido e relido o respectivo capítulo da *História* de Karamzin. Também influiu o exemplo dos romances históricos de Sir Walter Scott, então o romancista mais lido na Europa inteira. Karamzin foi tsarista ortodoxo. Scott foi saudosista da ordem feudal na Escócia antiga. Nada parece, portanto, mais natural que a simpatia do poeta russo, ele também aristocrata, pelo mundo russo antigo. Escolhe mesmo como ponto de vista o do oficial Grinióv, que conta a história. Personagem idealizado é o criado Savélitch, encarnação da fidelidade leal do povo russo aos seus donos. Também são personagens apresentados com simpatia o capitão Mirónov e sua esposa, que encontram morte trágica na revolta, enquanto sua filha se salva graças ao amor de Grinióv. A novela apresenta, *in nuce*, a Rússia antiga inteira, com seus donos e servos, oficiais e cossacos, casas-grandes e fortalezas, com todo o sabor de um mundo que já se foi. No entanto, Púchkin não é saudosista. Apresenta com admiração o revolucionário Pugatchóv. Não esconde certa simpatia pelas reivindicações populares, embora ele próprio fique do outro lado da barricada. Com a imparcialidade olímpica de um clássico, sabe reunir os aspectos da Rússia antiga e as perspectivas de uma Rússia nova. Seu realismo insubornável não exclui nada. *A filha do capitão*, uma das últimas obras de Púchkin, é uma obra-prima da literatura universal.

# A FILHA DO CAPITÃO

Cuida da tua honra na mocidade.

Provérbio russo

## I.
## O SARGENTO DA GUARDA

> Se fosse da guarda, chegaria logo a capitão.
> — Não é preciso: que vá servir no exército.
> — Muito bem! Conheça um pouco a vida dura...
> [...]
> Mas, quem é o pai dele?
>
> Kniajnín[1]

Meu pai, Andrei Petróvitch Grinióv, quando moço, serviu sob as ordens do conde Münnich, e foi reformado no posto de primeiro major, em 17...[2] Desde aquela data, viveu em sua aldeia da província de Simbirsk, onde se casou com Avdótia Vassílievna I..., filha de um pobre fidalgo do lugar. Entre meninos e meninas, éramos ao todo nove irmãos. Todos os demais morreram na primeira infância. Quanto a mim, fui alistado como sargento no Regimento Semiónovski, por mercê do major da guarda Príncipe B., nosso parente próximo.[3]

---

[1] Iakov Kniajnín (1742-1791), dramaturgo russo. A citação foi extraída de sua peça *Khvastun* (*O gabão*), de 1786. (N. da E.)

[2] No "Manuscrito limpo" de Púchkin é dado o ano exato em que Grinióv pai foi reformado: 1762, ano em que Catarina II subiu ao trono, após depor Pedro III, seu marido, que poucos dias depois morreu na prisão. Parte da crítica especula que, tendo servido sob o conde Burkhard Christoph von Münnich (1683-1767), que se manteve leal a Pedro III, Grinióv tenha sido reformado por insurgir-se contra a nova tsarina. (N. da E.)

[3] No "Manuscrito limpo", em lugar desta frase consta o seguinte trecho: "Mamãe ainda me levava em seu ventre quando fui alistado como sargento no Regimento Semiónovski, por mercê do major da guarda Prín-

Todavia, era considerado em situação de licença até o término dos estudos. Naquele tempo, a educação não se processava como atualmente. Desde a idade de cinco anos fui entregue aos cuidados do batedor Savélitch, promovido a preceptor graças à sua sobriedade. Sob a sua inspeção, aprendi aos onze anos a ler e escrever russo, bem como julgar com muito tino as qualidades de um galgo. Nessa época, meu pai contratou para mim os serviços do francês M. Beaupré, que se mandou vir de Moscou juntamente com a provisão anual de vinho e azeite de Provença. A sua vinda desagradou profundamente a Savélitch.

— Graças a Deus — resmungava ele — o menino está limpo, penteado e bem alimentado. Que necessidade há de se fazer um gasto supérfluo e alugar esse "mussiê", como se não houvesse gente bastante em casa?

Beaupré tinha sido cabeleireiro em seu país, depois soldado na Prússia e finalmente viera à Rússia, *pour être outchitel*,[4] embora não compreendesse muito bem o sentido dessa palavra. Era um bom rapaz, porém avoado e desregrado ao extremo. A sua maior fraqueza era a paixão pelo belo sexo e, frequentemente, as suas manifestações de ternura lhe valiam algumas bordoadas, que o faziam gemer durante dias seguidos. Tampouco era, segundo sua própria expressão, inimigo da garrafa, o que, traduzido para o russo, significa que ele gostava de beber mais que o devido. Todavia, como o vinho fosse servido em nossa casa somente em pequenos cálices no almoço, e assim mesmo, com frequência, se deixasse de servir ao preceptor, o meu Beaupré se acostumou muito

---

cipe B., nosso parente próximo. Caso minha mãe, contra todas as expectativas, desse à luz uma menina, papai teria publicado no lugar devido a notícia de falecimento do sargento contumaz, e este seria o fim do caso". Algumas edições, russas e estrangeiras, incorporam esse trecho ao texto do romance. (N. da E.)

[4] "Para ser professor", em francês no original. (N. do T.)

depressa com os licores caseiros russos, passando até a preferi-los aos vinhos de sua pátria, por serem incomparavelmente mais sadios para o estômago. Ele e eu nos entendemos imediatamente e, embora o contrato o obrigasse a ensinar-me o francês, o alemão e todas as disciplinas, o preceptor preferiu aprender de mim a falar mais ou menos o russo, depois do que cada um de nós se ocupou com os seus próprios assuntos. Estávamos perfeitamente identificados, e eu não poderia desejar outro mentor. Mas o destino em breve nos separou, e eis em que circunstâncias.

Certa vez, a lavadeira Palachka,[5] uma moça gorda picada de varíola, e a zarolha Akulka,[6] encarregada das vacas, combinaram atirar-se ao mesmo tempo aos pés de minha mãe, confessando uma fraqueza criminosa e queixando-se em prantos de "monsieur", que havia abusado de sua inexperiência. Minha mãe não transigia nessas questões, e queixou-se a meu pai, o qual mandou chamar o canalha do francês. Disseram-lhe que "monsieur" estava dando aula. Meu pai foi para o meu quarto. Nesse ínterim, Beaupré estava na cama, dormindo o sono da inocência. Quanto a mim, achava-me ocupado com uma tarefa. Convém saber que se mandara vir de Moscou uma carta geográfica para mim. Ela estava pregada na parede, sem uso, e havia muito me seduzia pela qualidade e largura do papel. Resolvi fazer dela um papagaio e, aproveitando o sono de Beaupré, pus mãos à obra. Meu pai entrou no momento exato em que eu pregava uma cauda fragmentada ao Cabo da Boa Esperança. Vendo os meus exercícios de geografia, meu pai me deu um puxão de orelha, em seguida correu para M. Beaupré, acordou-o sem grandes cuidados e pôs-se a cobri-lo de censuras. Muito confuso, Beaupré tentou erguer um pouco o corpo mas não pô-

---

[5] Diminutivo de Palagueia. (N. do T.)

[6] Diminutivo de Akulina. (N. do T.)

de: o infeliz estava perdidamente embriagado. Meu pai o levantou pela gola, empurrou-o porta afora e expulsou-o da casa no mesmo dia, para alegria indescritível de Savélitch. E assim terminou também a minha educação.

Continuei fazendo vida de menino, perseguindo pombos e "pulando carniça" com outros moleques. Assim cheguei aos dezesseis anos, mas nessa ocasião a minha sorte mudou.

Certa vez, no outono, minha mãe estava na sala de visitas, preparando um doce de mel, enquanto eu lambia os beiços, olhando a espuma que fervia. Meu pai estava junto à janela, lendo o *Calendário da Corte*,[7] que ele recebia todos os anos. Este livro sempre exercia sobre ele uma grande influência: nunca pudera lê-lo sem um interesse especial, e a leitura produzia nele uma estranha irritação do fígado. Minha mãe, que sabia de cor todos os seus hábitos e costumes, procurava sempre deixar o malfadado livro o mais longe possível e, desse modo, o *Calendário da Corte* passava meses inteiros sem cair nas mãos de meu pai. Em compensação, quando ele o encontrava por acaso, não o largava mais durante horas seguidas. Estava, pois, meu pai lendo o *Calendário da Corte*, erguendo de quando em vez os ombros e repetindo a meia-voz: "Tenente-general!... Ele foi sargento da minha companhia!... Cavaleiro de ambas as ordens russas!... Quem diria!...". Finalmente, meu pai jogou o *Calendário* sobre o divã e mergulhou em cismas que não pressagiavam nada de bom.

De repente, dirigiu-se a minha mãe e perguntou:

— Avdótia Vassílievna, quantos anos tem Petrucha?[8]

— Acaba de fazer dezesseis — respondeu ela. — Petru-

---

[7] Publicação que existiu de 1736 a 1917. Nela, todo ano eram listados os nomes dos funcionários da corte imperial russa e daqueles que haviam recebido condecorações da família real. (N. da E.)

[8] Diminutivo de Piotr. (N. do T.)

cha nasceu no mesmo ano em que a tia Nastassia Guerássimovna ficou zarolha, e em que...

— Está bem — interrompeu-a meu pai. — Já é tempo de mandá-lo para o serviço. Basta de correr pelos quartos das criadas e trepar nos pombais.

A ideia de uma próxima separação de mim causou uma impressão tão forte a minha mãe, que ela deixou cair a colher dentro da caçarola, e as lágrimas correram-lhe pelo rosto. Mas, ao mesmo tempo, é difícil descrever o meu entusiasmo. A noção de serviço estava associada para mim com as noções de liberdade e de prazeres da vida em Petersburgo. Já me imaginava oficial da guarda, o que, na minha opinião, representava o ápice da felicidade humana.

Meu pai não gostava de mudar as suas decisões, nem de adiar a sua execução. Foi marcado o dia de minha partida.

Na véspera, meu pai disse que pretendia mandar comigo uma carta para o meu futuro chefe, e pediu pena e papel.

— Não te esqueças, Andrei Petróvitch — disse minha mãe —, de cumprimentar também em meu nome o Príncipe B. Espero que ele continue a proteger Petrucha.

— Que tolice! — respondeu meu pai, franzindo o sobrolho. — Para que vou eu escrever ao Príncipe B.?

— Mas tu disseste que vais escrever ao chefe de Petrucha.

— Sim, e que tem isso?

— Mas o Príncipe B. é o chefe de Petrucha, que está alistado no Regimento Semiónovski.

— Alistado! E que tenho a ver com isso? Petrucha não irá para Petersburgo. O que pode aprender, servindo em Petersburgo? A gastar dinheiro e fazer diabruras? Não, que sirva no exército, carregue a mochila, cheire pólvora, e que seja soldado, e não um desses peralvilhos da guarda! Onde está o passaporte dele? Quero vê-lo.

Minha mãe foi procurar o meu passaporte, que ela guardava no seu cofrezinho, juntamente com a camisa em que fui batizado, e entregou-o a meu pai com mão trêmula. Meu pai examinou-o atentamente, pô-lo diante de si sobre a mesa, e começou a sua carta.

A curiosidade me torturava. Para onde me mandavam então, se não era para Petersburgo? Não tirava os olhos da pena de meu pai, que se movia com bastante lentidão. Afinal, ele terminou, fechou a carta no mesmo envelope com o passaporte, tirou os óculos e, chamando-me, disse:

— Aqui tens uma carta para o meu velho companheiro e amigo Andrei Kárlovitch R.[9] Vais servir sob as suas ordens, em Orenburg.

E assim ruíram todas as minhas brilhantes esperanças! Em lugar da alegre vida em Petersburgo, esperava-me o tédio numa paragem deserta e longínqua. O serviço, que despertava em mim tais entusiasmos apenas um instante atrás, parecia-me agora uma terrível desgraça. Mas não se podia discutir! No dia seguinte, de manhã, um carro coberto encostou ao pé da escada. Puseram nele a minha mala, uma caixa com apetrechos para chá e embrulhos com tortas e doces, últimos testemunhos dos mimos caseiros. Deram-me a bênção. Meu pai me disse:

— Adeus, Piotr. Serve com fidelidade aquele a quem prestares juramento. Obedece a teus chefes. Não corras atrás dos seus favores. Não procures sozinho o serviço, mas também não o recuses. E lembra-te do provérbio: cuida da roupa quando nova, e da honra quando moço.

Minha mãe, em prantos, me dizia que cuidasse da saúde e recomendava a Savélitch que tomasse conta do menino. Vestiram-me um casaco de pele de lebre e, por cima, uma pe-

---

[9] Na época da revolta de Pugatchóv, o governador de Orenburg era o dinamarquês Ivan Andrêievitch (Johann Heinrich) Reinsdorp (1730-1782), que havia liderado também a repressão aos cossacos do Iáik em 1772. Púchkin emprestou alguns traços de Reinsdorp na sua caracterização de Andrei Kárlovitch. (N. da E.)

lica de raposa. Sentei-me com Savélitch no carro e parti, vertendo copiosas lágrimas.

Na mesma noite, cheguei a Simbirsk, onde precisava passar um dia, para comprar objetos indispensáveis, o que foi confiado a Savélitch. Fui para uma hospedaria. Savélitch saiu de manhã para percorrer as lojas. Cansado de olhar pela janela para o beco imundo, fui vagar pelas dependências da hospedaria. Entrando no bilhar, vi um senhor alto, de uns trinta e cinco anos, de longos bigodes negros, de roupão, com um taco na mão e um cachimbo na boca. Estava jogando com o moço do bilhar, o qual, ganhando, tomava um cálice de vodca, e perdendo, ia de gatinhas para debaixo da mesa. Fiquei observando o jogo. Quanto mais ele durava, mais frequentes se tornavam os passeios de gatinhas, até que o moço acabou ficando definitivamente debaixo da mesa. O senhor de roupão proferiu algumas expressões enérgicas, à guisa de oração fúnebre, e me propôs jogarmos uma partida. Recusei por não conhecer o jogo. Isso lhe pareceu, pelo visto, muito estranho. Olhou para mim com certa comiseração. Todavia, travamos conversa. Fiquei sabendo que se chamava Ivan Ivânovitch Zúrin, que era capitão de hussardos do regimento ***, que viera a Simbirsk para receber recrutas e que estava alojado na hospedaria. Zúrin me convidou para almoçar com ele, à moda de soldado, com o que a sorte mandasse. Concordei de bom grado. Sentamo-nos à mesa. Zúrin bebia muito e me servia também, dizendo que era preciso habituar-se com o serviço. Contava-me anedotas de caserna, que me faziam quase cair de tanto rir, e nos erguemos da mesa como bons amigos. Nesse ponto, ele se ofereceu para me ensinar o jogo de bilhar.

— É uma coisa — dizia ele — indispensável a nós outros do serviço. Chega-se, por exemplo, durante uma marcha, a um povoado. O que se vai fazer? Bater em judeus também enjoa. Queira-se ou não, vai-se para a hospedaria e começa-se a jogar bilhar. Mas para isso é preciso saber jogar!

Eu estava completamente de acordo, e dediquei-me à aprendizagem com muita atenção. Zúrin me animava com exclamações sonoras, mostrava-se encantado com os meus rápidos progressos e, depois de algumas aulas, propôs que jogássemos a dinheiro, a dois copeques, não pelo ganho, mas simplesmente para não jogar de graça, o que, segundo dizia, era o pior dos hábitos. Concordei com isso também, enquanto Zúrin mandava vir ponche e me convencia a prová-lo, repetindo que é preciso habituar-se com o serviço e, sem ponche, que serviço podia haver? Eu obedecia. Entretanto, o nosso jogo prosseguia. Quanto mais tragos tomava de meu copo, maior era a minha audácia. A todo momento, as bolas voavam-me por cima dos bordos da mesa. Impacientava-me, xingava o moço do bilhar, que estava calculando Deus sabe como, aumentava a todo momento as apostas — numa palavra, estava procedendo como um moleque posto pela primeira vez em liberdade. O tempo ia passando imperceptivelmente. Zúrin olhou para o relógio, pôs de lado o taco e me declarou que eu havia perdido cem rublos. Isso me deixou um tanto confuso. O meu dinheiro estava com Savélitch. Comecei a pedir desculpas. Zúrin me interrompeu:

— Que dúvida! Não precisas incomodar-te. Eu posso esperar e, por enquanto, vamos à casa de Arínuchka.[10]

Que fazer? Terminei o dia tão libertinamente como o havia iniciado. Jantamos em casa de Arínuchka. Zúrin enchia a todo momento o meu copo, repetindo que é preciso habituar-se ao serviço. Erguendo-me da mesa, mal podia ficar de pé. À meia-noite, Zúrin me levou à hospedaria.

Savélitch nos encontrou no patamar da escada. Soltou uma exclamação ao ver as provas indiscutíveis de minha aplicação no serviço.

— Que é isso, senhor? O que aconteceu contigo? — dis-

---

[10] Diminutivo de Arina. (N. do T.)

se ele com voz lamurienta. — Onde te encheste assim? Meu Deus, meu Deus! Nunca vi pecado tão grande!

— Cala-te, velho estúpido! — respondi, hesitando um pouco. — Deves estar bêbado. Vai dormir... e me deita também.

No dia seguinte, acordei com dor de cabeça, lembrando-me confusamente dos acontecimentos da véspera. As minhas reflexões foram interrompidas por Savélitch, que entrara com uma xícara de chá.

— Piotr Andrêitch[11] — disse ele, meneando a cabeça —, estás começando muito cedo a farrear. E a quem foi que puxaste? Parece-me que nem teu pai nem teu avô foram borrachos. Quanto a tua mãe, nem tenho o que dizer: desde que nasceu, nunca provou bebida, a não ser o *kvás*.[12] E quem é o culpado de tudo? Aquele maldito "mussiê". A cada momento, chegava correndo para junto de Antipievna e dizia: *Madame, je vu pri, vodkiú*. Aí tens o *je vu pri*![13] Educou-te bem o filho de cadela. E era preciso contratar aquele infiel! Como se o patrão não tivesse gente de casa!

Eu estava envergonhado. Voltei a cabeça para a parede e disse:

— Vai-te, Savélitch; não quero chá.

Mas era muito difícil conter Savélitch quando ele se punha a pregar sermão.

— Estás vendo, Piotr Andrêitch, o que acontece depois dessas farras. A cabeça fica pesada, perde-se o apetite. Homem que bebe não presta para nada... Toma um pouco de mel com salmoura de pepino, ou, melhor ainda, meio copinho de *nastoika*.[14] Queres?

---

[11] Corruptela de Andrêievitch. (N. do T.)

[12] Bebida fermentada muito popular na Rússia. (N. do T.)

[13] Corruptela de *Je vous prie*, "eu lhe rogo" em francês. (N. da E.)

[14] Licor caseiro. (N. do T.)

Naquele instante, entrou um menino e me deu um bilhete de I. I. Zúrin. Desdobrei o papel e li as seguintes linhas:

"Querido Piotr Andrêievitch, faze o favor de mandar com o meu menino os cem rublos que perdeste ontem para mim. Preciso muito de dinheiro. Sempre ao teu dispor,

Ivan Zúrin"

Não havia remédio. Fiz uma expressão de indiferença e, dirigindo-me a Savélitch, que era o encarregado de meu dinheiro, de minha roupa e de todos os meus assuntos, mandei que desse ao menino cem rublos.

— Como! Para quê? — perguntou Savélitch surpreendido.

— Estou devendo a ele essa quantia — respondi com a possível frieza.

— Está devendo! — retrucou Savélitch, cuja surpresa crescia a cada instante. — Mas quando pudeste, senhor, contrair essa dívida? Há qualquer coisa que não está certa em tudo isso. Faze o que quiseres, senhor, mas eu não entrego o dinheiro.

Pensei que se naquele momento decisivo não me sobrepusesse ao velho cabeçudo, depois me seria muito mais difícil libertar-me da sua tutela. Olhei para ele com altivez e disse:

— Sou teu senhor e tu és meu criado. O dinheiro é meu. Eu perdi, porque assim quis. Aconselho-te não resolver as coisas sozinho e fazer aquilo que te ordenam.

Savélitch ficou tão estupefato com as minhas palavras, que ensaiou um gesto e ficou como petrificado.

— Por que ficas aí?! — gritei, zangado.

Savélitch caiu em pranto.

— Paizinho Piotr Andrêitch — disse ele com voz trêmula. — Não me faças morrer de desgosto. Luz de meus olhos!

Escuta o que te diz um velho: escreve àquele bandido que tu estavas brincando e que nem temos tanto dinheiro. Cem rublos! Deus misericordioso! Escreve que os teus pais te proibiram severamente de jogar, a não ser com avelãs...

— Basta de mentiras! — interrompi com severidade. — Passa-me o dinheiro, senão vou expulsar-te daqui a pescoções.

Savélitch me olhou com profunda amargura e foi buscar o dinheiro da minha dívida. Eu tinha pena do pobre velho, mas queria ver-me em liberdade e provar que não era mais criança. O dinheiro foi pago a Zúrin, Savélitch tratou de me levar o quanto antes para fora da maldita hospedaria. Veio dizer que os cavalos estavam prontos. Parti de Simbirsk com a consciência intranquila e com arrependimento mudo, sem me despedir de meu professor e não esperando encontrá-lo algum dia.

## II.
## O GUIA

> Que lugar, que lugarejo!
> Que rincão desconhecido!
> Não foi por mim que te encontrei,
> Nem o cavalo me levou.
> Conduziram-me o ardor, a mocidade
> E a bebedeira de botequim.
>
> Canção antiga

Não foram muito agradáveis as minhas reflexões de viagem. A quantia perdida por mim era bastante vultosa para aquela época. Não podia deixar de confessar, no íntimo, que o meu comportamento naquela hospedaria em Simbirsk fora estúpido, e me sentia culpado perante Savélitch. Tudo isso me torturava. O velho estava sentado na frente. Voltara o rosto para outro lado, e permanecia calado, apenas fungando de vez em quando. Eu queria fazer as pazes com ele a qualquer custo, mas não sabia por onde começar. Disse-lhe finalmente:

— Está bem, Savélitch, basta! Façamos as pazes. Procedi mal, eu mesmo o reconheço. Ontem, fiz diabruras e te ofendi sem razão. Prometo portar-me de outro modo no futuro e obedecer-te. Bem, não te zangues e façamos as pazes.

— Eh, paizinho Piotr Andrêitch! — respondeu ele com profundo suspiro. — Estou zangado, mas é comigo mesmo: a culpa é toda minha. Como pude deixar-te sozinho na hospedaria? Foi o pecado que me tentou. Quis ir à casa de minha comadre, a mulher do diácono. Fui lá e não me deixaram mais sair. Uma desgraça! Como vou aparecer agora diante de meus amos? Que vão dizer quando souberem que o filhinho deles bebe e joga?

Para acalmar o pobre Savélitch, dei-lhe a minha palavra de que não disporia de um copeque sequer sem o seu consentimento, ele foi-se acalmando aos poucos, embora ainda resmungasse de quando em vez, meneando a cabeça: "Cem rublos! Não é brincadeira!".

Estávamos chegando ao ponto de destino. Ao redor, estendiam-se desertos desolados, cortados por colinas e barrancos. A neve cobria tudo. Era ao pôr do sol. O carro ia, por uma estrada estreita ou, mais exatamente, por um sulco deixado pelos trenós dos camponeses. De repente, o cocheiro começou a olhar para os lados e, depois, tirando o chapéu, me disse:

— Não manda voltar, patrão?
— Por quê?
— O tempo está ameaçador. O vento está se levantando. Veja como faz redemoinho com a neve.
— Que mal há nisso?
— E está vendo aquilo ali?

O cocheiro apontou o chicote na direção do Oriente.
— Não estou vendo coisa alguma, a não ser a estepe branca e o céu límpido.
— Ali, ali, aquela nuvenzinha.

Realmente, vi na extremidade do céu uma nuvenzinha branca, que eu havia tomado antes por uma colina distante. O cocheiro me explicou que a nuvenzinha pressagiava tormenta.

Eu ouvira falar das tempestades de neve daquela região e sabia que, às vezes, comboios inteiros ficavam cobertos pela neve, Savélitch estava de acordo com a opinião do cocheiro e aconselhava a regressar. Mas o vento não me pareceu forte: esperava chegar oportunamente à estação seguinte e mandei apressar os animais.

O cocheiro pôs os cavalos a galope, mas continuava olhando de esguelha para o Oriente. Os cavalos corriam com ritmo igual. O vento ia ficando cada vez mais forte. A nuvenzinha se transformou numa nuvem branca, que se erguia pesadamente, crescia e aos poucos cobria o céu. Começou a cair uma neve miúda, e de repente em grandes flocos. Uivou o vento e desencadeou-se a tempestade. Num instante, o céu escuro se confundiu com o mar nevado. Tudo desapareceu.

— Então, patrão?... — gritou o cocheiro. — Uma desgraça: é a tormenta!...

Pus a cabeça fora do carro: tudo era treva e torvelinho. O vento uivava com expressão selvagem, como se tivesse alma. Savélitch e eu estávamos cobertos de neve. Os cavalos iam a passo e logo pararam.

— Por que não prossegues? — perguntei ao cocheiro com impaciência.

— Para que ir mais longe? — replicou ele, descendo de seu assento. — Assim mesmo, não sabemos onde estamos: não se vê estrada e está negro ao redor.

Pus-me a censurá-lo, mas Savélitch o protegeu:

— Por que não ouviste? — disse ele zangado. — Podíamos ter voltado à estação, tomarias o teu chá, dormirias a noite toda e, quando passasse a tormenta, prosseguiríamos caminho. E por que tanta pressa? Vamos a algum casamento?

Savélitch tinha razão. Nada restava fazer. A neve não cessava de cair e amontoava-se junto ao carro. Os cavalos estavam de cabeça baixa e de vez em quando estremeciam. O cocheiro andava de um lado para outro, e, para fazer alguma coisa, ficou ajeitando os arreios. Savélitch resmungava. Eu olhava para todos os lados, esperando ver ao menos um indício de moradia ou de estrada, mas nada podia distinguir, a não ser um confuso redemoinhar de neve... De repente, vi algo negro.

— Eh, cocheiro! — gritei. — Olha, o que é que está negrejando ali?

O cocheiro fixou a vista.

— Deus sabe o que seja, patrão — disse ele, sentando-se no seu lugar. — Não é carroça, não é árvore, e parece que se mexe. Deve ser um lobo ou um homem.

Mandei que pusesse o carro na direção do objeto desconhecido, o qual passou imediatamente a se deslocar ao nosso encontro. Dois minutos depois, alcançamos um homem.

— Eh, amigo! — gritou para ele o cocheiro. — Diga-me: não sabe onde fica a estrada?

— É aqui mesmo: estou sobre o leito da estrada — respondeu o caminhante. — Mas, que adianta?

— Escuta, mujiquezinho — disse eu. — Conheces estas paragens? Serias capaz de nos levar até um lugar onde passar a noite?

— Conheço bem a região, graças a Deus, e já a percorri em todas as direções. Mas, com este tempo é fácil sair fora da estrada. E melhor parar aqui mesmo e esperar. Quem sabe? Talvez passe a tormenta e o céu fique limpo: então nos orientaremos pelas estrelas.

O seu sangue-frio me deixou mais animado. Entreguei-me à vontade de Deus, e já estava decidido a passar a noite na estepe, quando, de repente, o caminhante subiu agilmente para o assento da frente e disse ao cocheiro:

— Graças a Deus, a moradia não está longe. Dobra para a direita e avança com os cavalos.

— Mas, por que devo eu ir para a direita?! — perguntou contrariado o cocheiro. — Onde estás vendo caminho? Os cavalos são alheios, os arreios também, e assim não custa arriscar.

Pareceu-me que o cocheiro tinha razão.

— Com efeito — disse eu —, por que pensas que há moradias por aqui?

— É que o vento soprou daquela direção, e eu senti cheiro de fumaça. Quer dizer que a aldeia está perto.

A sua sagacidade e o seu olfato apurado me deixaram

surpreendido. Mandei pôr o carro em movimento. Os cavalos avançavam pesadamente sobre a neve profunda. O carro avançava lentamente, ora subindo para um montículo, ora descendo para o fundo de uma vala, desabando para ambos os lados. Era algo semelhante a um navio no meio de uma tempestade. Savélitch gemia, caindo a todo momento contra a minha ilharga. Desci a cortina, enrolei-me na peliça e caí em modorra, embalado pelo canto da tormenta e pelo balanço lento do carro.

Tive um sonho que nunca mais pude esquecer, e no qual vejo até agora algo de profético, quando o examino à luz das estranhas circunstâncias de minha vida. O leitor me desculpará, pois, provavelmente, conhece por experiência própria com que facilidade o homem se entrega à superstição, apesar de todo o possível desprezo por tais prejuízos.

Encontrava-me naquele estado do corpo e do espírito em que a realidade, cedendo lugar aos sonhos, confunde-se com eles nas imagens confusas do primeiro sono. Pareceu-me que a tormenta raivava ainda e que vagávamos pelo deserto nevado... De repente, vi o portão de nossa casa, e o carro entrou no pátio. O meu primeiro pensamento foi o temor de que meu pai se zangasse comigo pelo retorno involuntário ao lar, e que o interpretasse como uma desobediência proposital. Pulei inquieto para fora do carro, e vi minha mãe que me recebia à porta da casa, com uma expressão de profundo desgosto.

— Quieto — disse-me ela —, teu pai está à morte e deseja despedir-se de ti.

Tomado pelo terror, acompanhei-a ao quarto de dormir. Estava debilmente iluminado e, junto ao leito, agrupavam-se algumas pessoas de fisionomias contristadas. Aproximei-me lentamente da cama. Minha mãe ergueu o reposteiro e disse:

— Andrei Petróvitch, Petrucha chegou. Veio até aqui ao sabor de tua doença. Abençoa-o.

Ajoelhei-me, fixei os olhos no enfermo e... que vi!... Em lugar de meu pai, estava no leito um mujique de barba negra, que olhava para mim com expressão risonha. Desconcertado, voltei-me para minha mãe, dizendo:

— Que significa isso? Não é meu pai. E para que hei de receber a bênção de um mujique?

— Tanto faz, Petrucha — respondia minha mãe. — Ele vai ser o pai-substituto[15] no teu casamento. Beija-lhe a mão e deixa que te dê a bênção.

Eu não concordava. Então o mujique se ergueu de um salto da cama, agarrou um machado que trazia às costas e pôs-se a brandi-lo em todas as direções. Eu quis fugir, mas não pude. O quarto se encheu de cadáveres. Eu tropeçava nos corpos e escorregava nas poças sangrentas... O terrível mujique me chamava carinhosamente, dizendo: "Não tenhas medo, vem receber a minha bênção...". O pavor e a estupefação apoderaram-se de mim... Naquele momento, acordei. Os cavalos estavam parados. Savélitch me segurava pela mão, dizendo:

— Apeia-te, senhor. Chegamos.

— Chegamos onde? — perguntei, esfregando os olhos.

— A uma pousada. Deus nos ajudou, e quase nos chocamos com o muro. Sai depressa, senhor, e vai esquentar o corpo.

Desci do carro. A tormenta continuava, embora com menos força. Era tal a escuridão que me pareceu ter ficado cego. O dono da casa nos recebeu junto ao portão, segurando a lanterna sob a aba do capote, e me introduziu num quarto de tamanho reduzido, mas bastante limpo. Um lume de madeira servia de lâmpada. Na parede, estavam pendurados um fuzil e um alto chapéu cossaco.

---

[15] Nos casamentos tradicionais da Rússia era comum a figura do *possajióni otets* e da *possajiónnaia mat* (literalmente, "pai postiço" e "mãe postiça"), pessoas próximas do noivo e da noiva que faziam as vezes dos seus verdadeiros pais durante a cerimônia de casamento. (N. da E.)

O dono da casa era um cossaco de uns sessenta anos, ainda ágil e vivo. Savélitch entrou atrás de mim com a minha caixa e pediu fogo para fazer chá, que nunca me pareceu tão necessário. O dono da casa foi providenciar.

— Onde está o nosso guia? — perguntei a Savélitch.

— Aqui, Vossa Nobreza — respondeu-me de cima uma voz.

Olhei para o catre e vi uma barba negra e dois olhos faiscantes.

— Que há, meu velho? Muito frio?

— Como não sentir frio com um gibão fininho? Eu tinha uma peliça de carneiro, mas — por que não confessar? — empenhei-a ontem com o taverneiro, pois o frio não me parecia forte.

Naquele instante, o dono da pousada entrou com o samovar fumegante. Ofereci uma xícara de chá ao nosso guia. O mujique desceu do catre. A sua aparência me pareceu extraordinária. Tinha uns quarenta anos, e era de estatura média, magro e de ombros largos. Entre a barba negra, apareciam algumas mechas grisalhas. Os seus grandes olhos vivos não paravam quietos. O rosto tinha uma expressão bastante agradável, mas velhaca. Os cabelos estavam cortados em círculo. Usava um gibão esfarrapado e calças tártaras. Servi-lhe uma xícara de chá. Provou um pouco e fez uma careta.

— Vossa Nobreza, faça-me um favor... mande servir-me um copo de vinho, que isso não é bebida de cossaco.

Satisfiz de bom grado o seu pedido. O dono da pousada tirou do armário uma garrafa e um copo e, chegando perto do guia, encarou-o.

— O quê! — disse ele. — Estás novamente por aqui! De onde vens?

O outro piscou de modo significativo e respondeu à moda popular:

— Voei pelas hortas, dei bicadas no cânhamo. Uma velha me atirou uma pedra, mas não acertou. Bem, e os daqui?

— Que dizer dos nossos? — replicou o dono da pousada, prosseguindo a conversa alegórica. — Começamos a tocar sino para a missa, mas a mulher do padre não deixa. O padre está de visita, os diabos entram no cemitério.

— Cala-te, titio — disse o meu vagabundo —, quando chover, haverá cogumelos, e teremos também o cesto. E agora (piscou novamente), guarda o machado nas costas, pois o guarda-florestal anda por aqui. À sua saúde, Vossa Nobreza!

Dito isso, tomou o copo, fez o sinal da cruz e bebeu de um trago o conteúdo. Em seguida, fez uma mesura na minha direção e voltou para o catre. Eu nada pude compreender daquela gíria de ladrões, porém adivinhei mais tarde que se tratava de algo relacionado com o exército do Iáik,[16] o qual acabara de ser submetido, após a revolta de 1772. Savélitch ouvia tudo com uma expressão de profundo desprazer. Olhava com desconfiança ora para o dono da casa, ora para o guia. A pousada ficava no meio da estepe, longe de qualquer povoação, e parecia-se muito com um covil de bandidos. Mas nada nos restava fazer. Não se podia sequer pensar em prosseguir viagem. A inquietação de Savélitch me divertia muito. Entretanto, preparei-me para passar a noite, e me estendi sobre um banco. Savélitch resolveu ir para cima do forno. O dono da pousada se deitou no chão. Em breve, toda a isbá roncava, e eu adormeci profundamente.

Acordando de manhã bastante tarde, vi que a tormenta havia cessado. Brilhava o sol. A neve se estendia com uma

---

[16] Rio que mais tarde, por ordem de Catarina, a Grande, recebeu o nome de Ural. (N. do T.) [Por extensão, Iáik era o nome do batalhão de cossacos do Ural que habitava a margem do rio. Púchkin dedicou todo o primeiro capítulo de sua *História de Pugatchóv* ao registro dos eventos que levaram os cossacos do Iáik a se insurgir em 1772 e à insatisfação com as medidas punitivas tomadas pelo governo russo. Assim Púchkin encerra o primeiro capítulo da *História de Pugatchóv*: "Tudo prenunciava uma nova insurreição. Faltava um líder. O líder apareceu". (N. da E.)]

brancura de cegar sobre a estepe interminável. Os cavalos estavam atrelados. Saldei a conta com o dono da pousada, o qual nos cobrou uma quantia tão modesta que o próprio Savélitch não regateou com ele, segundo seu costume, e as suspeitas da véspera o abandonaram completamente. Chamei o guia, agradeci o auxílio prestado e ordenei a Savélitch que lhe desse meio rublo de gorjeta. Savélitch franziu o sobrecenho.

— Meio rublo de gorjeta! — disse ele. — Mas por quê? Porque tu mesmo o levaste até a pousada? Faze o que quiseres, senhor, mas nós não temos meios rublos sobrando. Se dermos gorjeta a cada um que aparecer, em breve teremos de passar fome.

Eu não podia discutir com Savélitch. Segundo minha promessa, o dinheiro estava sob seu absoluto controle. Aborreceu-me, todavia, o não poder mostrar meu agradecimento ao homem que me livrara, se não da desgraça, pelo menos de uma situação muito desagradável.

— Está bem — disse eu com sangue-frio. — Se não queres dar meio rublo, tira para ele algumas das minhas peças de roupa. Está vestido muito ligeiramente. Dá-lhe o meu casaco de lebre.

— Não faças isso, paizinho Piotr Andrêitch! — replicou Savélitch. — Para que precisa ele do teu casaco de lebre? O cão vai trocá-lo por bebida no primeiro botequim.

— Não é da tua conta, velhinho — disse o meu vagabundo —, se vou trocá-lo ou não. Sua Nobreza faz a mercê de me presentear com a sua própria peliça. Nisso está a sua vontade de amo, e o teu dever de servo é obedecer sem discutir.

— Não temes a Deus, bandido! — respondeu Savélitch com voz irritada. — Estás vendo que o menino ainda não compreende as coisas, e aproveitas a sua inocência para roubá-lo. Para que precisas do casaco do senhor? Tu nem poderás vesti-lo sobre os teus ombros malditos.

— Peço não discutir — disse eu ao meu preceptor —, traze já o casaco.

— Deus misericordioso! — gemeu Savélitch. — Um casaco de lebre quase novo! E quem vai recebê-lo: um bêbedo maltrapilho!

Mas o casaco de lebre apareceu. O mujiquezinho começou a experimentá-lo ali mesmo. Realmente, o casaco, no qual eu próprio já cabia com dificuldade, era um tanto estreito para ele. Apesar de tudo, com um pouco de jeito, conseguiu vesti-lo, fazendo estalar as costuras. Savélitch quase rompeu em pranto, ouvindo o ruído que faziam as linhas. O vagabundo estava muito satisfeito com o meu presente. Acompanhou-me até o carro e disse com profunda reverência:

— Obrigado, Vossa Nobreza! Que Deus o recompense pela sua boa ação. Quanto a mim, não esquecerei jamais a sua bondade.

Prosseguiu em seu caminho e eu também continuei a viagem, sem prestar atenção a Savélitch, e em pouco tempo esqueci a tormenta da véspera, o meu guia e o casaco de lebre.

Chegando a Orenburg, fui diretamente à presença do general. Vi um homem alto, mas já curvado pela idade. Os seus cabelos compridos estavam completamente brancos. O velho uniforme desbotado lembrava um guerreiro do tempo de Anna Ivânovna.[17] Falava com pronunciado sotaque alemão.

Dei-lhe a carta de meu pai. Ouvindo o seu nome, ele lançou sobre mim um rápido olhar.

— Meu *Teus*! — disse ele. — Faz *tan poco* tempo Andrei Petróvitch tinha tua idade, e agora já tem um *moceton* assim! Ah, o tempo, o tempo!

Abriu a carta e começou a lê-la a meia-voz, fazendo também os seus comentários:

— "Prezado Sr. Andrei Kárlovitch, espero que Vossa Excelência..." Que cerimônias *son esses*? Ele *tevia* de ter vergonha. Claro, a *tisciplina* vem em primeiro lugar, mas *non* é as-

---

[17] A imperatriz Anna Ivânovna (1730-1740). (N. do T.)

sim que se escreve a um velho *camrad*... "Vossa Excelência *non* esqueceu..." hum... "e quando... o falecido marechal de campo Mun... campanha... e também... Carolina..." Eh, *bruder*! *Enton* ele ainda se lembra nossos velhos travessuras? "E agora ao assunto... envio-lhe o meu diabrete..." hum... "mantê-lo em luvas de *oriço*." Que é luvas de *oriço*... Deve ser uma *provérbia* russa... Que é manter em luvas de *oriço*? — repetiu, dirigindo-se a mim.

— Isto significa — respondi eu com o ar mais inocente — tratar alguém com carinho, sem muita severidade, dando sempre bastante liberdade.

— Hum, compreendo... "e não lhe dar muita liberdade"... não, quer *tizer* luvas de *oriço* tem *otro* sentido... "Anexo... o passaporte..." Onde está? Ah, é este aqui... "inscrevê-lo como membro do Regimento Semiónovski..." Muito *pem*, muito *pem*, *fou* fazer tudo... "Permita, prescindindo da hierarquia, abraçá-lo e... seu velho companheiro e amigo" Ah, até que enfim. "etcétera, etcétera..." *Pem*, meu caro — disse ele, depois de ler a carta e deixando de lado o meu passaporte. — Tudo será feito: *fais* ser transferido como oficial para o regimento \*\*\*[18] e, para não perder tempo, *fais* amanhã mesmo para a fortaleza Belogórskaia, onde ficarás sob o comando de um homem *pom* e *honesta*, o *capiton* Mirónov. *Fais* para um serviço de *ferdade*, *fais* aprender o *tisciplina*. Não tens o que fazer em Orenburg. A *tissipação* é perniciosa para um jovem. E hoje peço que almoces comigo.

"As coisas vão de mal a pior!", pensei. "De que me serviu o ter sido promovido a sargento da guarda quase no ventre de minha mãe? E aonde vou parar? No regimento de \*\*\*

---

[18] No "Manuscrito limpo", Púchkin cita nominalmente o Regimento de Dragões Chemchinsk. Apesar de ter suprimido a informação na versão final do romance, em algumas passagens ficamos sabendo que o uniforme do regimento era verde, como era, na época, o uniforme dos Dragões. (N. da E.)

e numa fortaleza longínqua, na fronteira das estepes Quirguiz-Caissaques!..."

Almocei em casa de Andrei Kárlovitch, em companhia também de seu velho ajudante de ordens. Reinava em sua sala de jantar uma severa economia alemã e creio que o medo de ver sempre um comensal a mais nas suas refeições de solteiro fora em parte a causa do meu afastamento para a fortaleza. Despedi-me do general no dia seguinte, e parti para o meu ponto de destino.

## III.
## A FORTALEZA

> Vivemos na fortaleza,
> Bebemos água, comemos pão;
> Mas se o inimigo feroz
> Vier à procura de doces,
> Daremos um bom banquete
> Carregando de metralha o canhão.
>
> Canção de soldados

Gente antiga, meu pai.

*Nedorosl*[19]

 

A fortaleza Belogórskaia estava a quarenta verstas[20] de Orenburg. A estrada acompanhava a margem escarpada do Iáik. O rio ainda não havia gelado, e as suas ondas plúmbeas negrejavam tristemente entre as margens monótonas, cobertas de neve. Do outro lado, estendiam-se as estepes da Quirguízia. Mergulhei em pensamentos, melancólicos em sua maior parte. A vida de guarnição me atraía muito pouco. Fiz um esforço para imaginar o capitão Mirónov, meu futuro comandante, e ele me apareceu como um velho severo e zangado, que não conheceria nada além do serviço e estaria sempre pronto a me encarcerar a pão e água por qualquer insig-

---

[19] Comédia de Denis Fonvízin (1745-1792). (N. do T.)

[20] Antiga medida equivalente a 1,067 km. (N. da E.)

nificância. Nesse ínterim, começou a escurecer. Íamos bastante depressa.

— Fica longe a fortaleza? — perguntei ao cocheiro.
— Não — respondeu ele. — Já se pode vê-la.

Olhei para todos os lados, esperando encontrar bastiões temíveis, torres e um fosso, mas nada vi a não ser uma aldeola rodeada por um muro de tábuas. Numa extremidade, havia três ou quatro medas de feno semicobertas de neve e, na outra, um moinho meio torto, com asas de tília preguiçosamente caídas.

— Onde está a fortaleza? — perguntei surpreendido.
— Aí — respondeu-me o cocheiro, mostrando a aldeia, e, com essas palavras, penetramos nela. Junto ao portão, vi um velho canhão de ferro. As ruas eram estreitas e tortas, as isbás muito baixas e, em sua maior parte, cobertas de palha. Mandei seguir para a casa do comandante e, pouco depois, o carro parou diante de uma casinhola de madeira, construída sobre uma elevação, junto a uma igreja igualmente de madeira.

Ninguém saiu ao meu encontro. Penetrei no vestíbulo e abri uma porta. Um velho inválido estava sentado sobre uma mesa e pregava um remendo na manga de seu uniforme verde. Mandei-lhe que comunicasse a minha chegada.

— Entra, paizinho — respondeu o inválido. — Os nossos estão em casa.

Entrei num quarto pequeno e limpo, mobiliado à antiga. Num canto, estava o armário de louça. Na parede, havia um diploma de oficial, emoldurado e debaixo de vidro. Ao lado, viam-se quadrinhos gravados em madeira, que representavam a tomada de Kostrzyn e de Otchákov, bem como os motivos da "escolha da noiva" e do "enterro do gato". Junto à janela, estava sentada uma velhinha com um casaquinho e um lenço na cabeça. Desenrolava a linha que um velhote zarolho, com uniforme de oficial, tinha enrolada nos dedos muito separados.

— O que deseja, paizinho? — perguntou ela, prosseguindo em sua ocupação.

Respondi que viera para o serviço e, como era minha obrigação, queria apresentar-me ao senhor capitão. Dizendo isso, dirigi-me ao velhinho zarolho, tomando-o pelo comandante. Mas a dona da casa interrompeu o discurso que eu havia decorado.

— Ivan Kuzmitch não está em casa. Foi visitar o padre Guerássim. Mas dá na mesma, paizinho, eu sou a patroa dele. Senta-te, paizinho.

Chamou uma criada e mandou vir o sargento. O velhote me espiava curiosamente com o seu único olho.

— Permita que pergunte — disse ele — em que regimento serviu.

Satisfiz a sua curiosidade.

— Permita-me saber, nesse caso — insistiu —, como deixou a guarda para servir numa guarnição.

Respondi que tais eram as ordens de meus superiores.

— Provavelmente, devido a comportamento inconveniente para um oficial da guarda — prosseguiu o meu incansável interlocutor.

— Pare com essas bobagens — interrompeu-o a mulher do capitão. — Não vês que o rapaz está cansado da viagem? Tem mais em que pensar... segura as mãos direito... E tu, paizinho — prosseguiu, dirigindo-se a mim —, não fiques triste por te haverem despachado para este buraco. Não és o primeiro, nem serás o último. Com o tempo, as pessoas se acostumam. Aleksei Ivânitch[21] Schwabrin, por exemplo, foi transferido para cá há mais de quatro anos, por ter cometido homicídio. Deus sabe que pecado o induziu a isso. Foi com um tenente para fora da cidade, levaram as espadas e lutaram entre si. Aleksei Ivânitch matou o tenente, e ainda

---

[21] Corruptela de Ivânovitch. (N. do T.)

diante de duas testemunhas! Que fazer? Qualquer um pode cair em pecado.

Naquele momento, entrou o sargento, que era um cossaco jovem e de boa apresentação.

— Maksímitch![22] — disse-lhe a mulher do capitão. — Arranja para o senhor oficial um quarto, e que seja dos mais limpos.

— Às ordens, Vassilissa Egórovna — respondeu o sargento. — Devo levar Sua Nobreza para a casa de Ivan Polejáiev?

— Não, Maksímitch — disse ela. — Em casa de Polejáiev há pouco espaço. Além disso, ele é meu compadre e sempre se lembra de que somos seus superiores. Leva o senhor oficial... Como se chama, paizinho?

— Piotr Andrêitch.

— Leva Piotr Andrêitch à casa de Semión Kuzov. O velhaco deixou outro dia o cavalo pastando na minha horta. Então, Maksímitch, tudo em ordem?

— Sim, graças a Deus — respondeu o cossaco. — Somente o cabo Prôkhorov brigou nos banhos com Ustinia Negulina, por causa de um balde de água quente.

— Ivan Ignátich! — disse a mulher do capitão ao velhinho zarolho. — Resolve este caso de Prôkhorov com Ustinia e vê quem é o culpado. Mas castiga ambos. Bem, Maksímitch, vai com Deus. Piotr Andrêitch, Maksímitch vai levá-lo para a sua residência.

Fiz as devidas mesuras. O sargento me levou a uma isbá que ficava na margem escarpada do rio, no limite da fortificação. Metade da isbá era ocupada pela família de Semión Kuzov. Reservaram-me a outra metade, que consistia em um quarto bastante asseado, dividido em dois por um tabique. Savélitch começou a dar ordens, e eu fiquei olhando pela estreita janelinha. A estepe desolada estirava-se ante os meus

---

[22] Corruptela de Maksímovitch. (N. do T.)

olhos. Havia algumas isbás pequenas, dispostas em diagonal. Umas poucas galinhas vagavam pela rua. Uma velha estava parada à porta da isbá com um cocho e chamava os porcos, que lhe respondiam com grunhidos amistosos. E eu estava condenado a passar a minha mocidade naquelas paragens! A tristeza se apoderou de mim. Afastei-me da janela e deitei-me para dormir, sem ter jantado, apesar da insistência de Savélitch, que repetia aflito:

— Senhor Todo-Poderoso! Não queres comer? O que vai dizer a patroa se o menino adoecer?

No dia seguinte pela manhã, apenas comecei a me vestir, entrou no meu quarto um jovem oficial de estatura média, de rosto moreno muito feio, mas extraordinariamente vivo.

— Desculpe — disse-me ele em francês —, se venho travar relações com o senhor assim sem cerimônia. Soube ontem de sua chegada. O desejo de ver enfim cara de gente apoderou-se de mim a tal ponto, que não me contive. O senhor há de me compreender depois que tiver vivido aqui algum tempo.

Adivinhei que era o oficial transferido da guarda por causa de duelo. Travamos relações. Schwabrin era muito inteligente e tinha uma conversa viva e interessante. Descreveu-me com muito bom humor a família do comandante, a sociedade local e a paragem onde o destino me atirara. Eu estava rindo de todo o coração, quando entrou no meu quarto o inválido que eu vira consertar a túnica no vestíbulo do comandante, e em nome de Vassilissa Egórovna me convidou para almoçar com eles. Schwabrin se ofereceu para ir comigo.

Aproximando-nos da casa do comandante, vimos formados na pracinha uns vinte inválidos bem velhinhos, de longas tranças e chapéus triangulares. Na frente, estava o comandante, um velho alto e animado, de gorro de dormir e roupão de ganga. Vendo-nos, acercou-se de nós, disse-me algumas palavras carinhosas e continuou a comandar os seus velhos. Paramos para olhar a instrução, mas ele nos pediu que fôssemos fazer companhia a Vassilissa Egórovna e prometeu vir logo depois.

— E aqui — acrescentou — vocês não têm nada para ver.

Vassilissa Egórovna recebeu-nos com simplicidade e alegria, e me tratou como se me conhecesse há muitos anos. O inválido e Palachka estavam preparando a mesa.

— O que há hoje com o meu Ivan Kuzmitch, que ele deu para instruir assim os velhos? — disse a mulher do capitão. — Palachka, vai chamar o patrão para almoçar. Mas, onde está Macha?[23]

Entrou uma moça de uns dezoito anos, de rosto redondo, corada, de cabelos louros claros, alisados atrás das orelhas, que ardiam. À primeira vista, não me agradou muito. Olhava-a com prevenção, pois Schwabrin me descrevera Macha, a filha do capitão, como uma tolinha completa. Maria Ivânovna sentou-se num canto e começou a bordar. Nesse ínterim, serviram o *schí*.[24] Vassilissa Egórovna mandou Palachka pela segunda vez chamar o capitão.

— Dize ao patrão que as visitas estão esperando e que o *schí* vai esfriar. Graças a Deus, a instrução não vai fugir, e ele sempre terá ocasião de se esgoelar.

O capitão apareceu pouco depois, acompanhado pelo velhinho zarolho.

— Que é isso, paizinho? — disse-lhe a esposa. — A comida já está servida há muito tempo, mas não há meio de te fazer vir.

— Mas tu sabias, Vassilissa Egórovna, que eu estava ocupado com o serviço, instruindo os soldadinhos.

---

[23] Diminutivo de Maria. (N. do T.)

[24] Sopa de verduras. (N. do T.)

— Grande coisa! — replicou ela. — Eles não gostam do serviço, e tu não consegues grande sucesso com esses exercícios. Seria melhor se ficasses em casa, rezando a Deus. Queridos hóspedes, venham à mesa.

Sentamo-nos para almoçar. Vassilissa Egórovna falava sem cessar e me cobria de perguntas: quem eram meus pais, se estavam vivos, onde residiam e se tinham posses. Quando lhe disse que meu pai tinha trezentos camponeses, exclamou:

— Será possível?! Como existe gente rica neste mundo! Quanto a nós, paizinho, temos apenas a moça Palachka, e, graças a Deus, vamos vivendo. Mas uma coisa me preocupa: Macha é moça casadoura, e qual é seu dote? Um pente, uma vassoura e uma moeda de três copeques (que Deus me perdoe) para ir aos banhos. Ainda bem se encontrarmos um homem digno, que a queira: senão, terá de ficar mesmo para tia.

Olhei para Maria Ivânovna: havia corado e estava tão confusa que as lágrimas lhe escorriam para o prato. Tive pena dela e procurei desviar o assunto.

— Ouvi dizer — observei assaz importunamente — que os basquires estão preparando-se para atacar esta fortaleza.

— E de quem foi que ouviste isso, paizinho? — perguntou Ivan Kuzmitch.

— Disseram-mo em Orenburg — respondi.

— Tolice! — disse o comandante. — Faz muito tempo que não acontece nada por aqui. Os basquires estão muito assustados, e os quirguizes também já tiveram a sua lição. Creio que não vão meter-se com a gente. Mas, se o tentarem, hei de lhes infligir tal castigo que vão ficar quietos por uns dez anos.

— E a senhora não tem medo — prossegui, dirigindo-me à mulher do capitão — de permanecer na fortaleza, sujeita a tais perigos?!

— Questão de hábito, paizinho — respondeu ela. — Há uns vinte anos, quando fomos transferidos da sede do regimento, Deus sabe como eu temia estes malditos infiéis! Se me acontecia ver os seus chapéus de pele de lince e ouvir os seus guinchos, podes crer, paizinho, quase me parava o coração! Mas agora estou tão acostumada que nem me mexo do lugar se alguém vem dizer que os malfeitores andam galopando perto da fortaleza.

— Vassilissa Egórovna é uma senhora muito corajosa — disse Schwabrin com ênfase. — Ivan Kuzmitch pode servir de testemunha.

— Realmente — concordou Ivan Kuzmitch —, não é das medrosas.

— E Maria Ivânovna? — perguntei. — É tão valente como a senhora?

— Se Macha é valente? — retrucou a mulher do capitão. — Não, Macha é muito medrosa. Até hoje não pode ouvir um tiro de fuzil, sem ficar toda trêmula. E quando, há dois anos, Ivan Kuzmitch inventou de atirar com o canhão no dia dos meus anos, a coitada quase morreu de medo. Desde aquela vez, nunca mais atiramos com o maldito canhão.

Levantamo-nos da mesa. O capitão e a esposa foram dormir. Eu me dirigi com Schwabrin à casa dele, onde passei a tarde e parte da noite.

## IV.
## O DUELO

— Seja: coloca-te em posição.
E verás como te atravesso com a espada.

Kniajnín

Passaram-se algumas semanas, e a vida na fortaleza Belogórskaia tornou-se para mim não apenas suportável, mas até agradável. Em casa do comandante, tratavam-me como pessoa da família. O casal de velhos era gente muito distinta, Ivan Kuzmitch, que havia chegado a oficial, embora fosse filho de soldado, era homem simples e pouco instruído, mas essencialmente honesto e bom. A esposa o dominava, o que ia muito bem com o seu gênio descuidado. Vassilissa Egórovna olhava para os assuntos de serviço como seus negócios domésticos, e dirigia a fortaleza exatamente do mesmo modo que sua casa. Maria Ivânovna em pouco tempo perdeu a sua timidez comigo e travamos relações. Encontrei nela uma moça sensata e sensível. Afeiçoei-me imperceptivelmente à boa família, e até a Ivan Ignátitch, o tenente zarolho da guarnição, sobre o qual Schwabrin inventou que ele estaria em ligação indecorosa com Vassilissa Egórovna, o que não tinha o menor fundamento; mas Schwabrin pouco se preocupava com isso.

Fui promovido a oficial. O serviço não me ocupava muito, pois naquela fortaleza protegida por Deus não havia revistas, exercícios nem serviços de guarda. O comandante, por sua livre vontade, instruía às vezes os soldados, mas ainda não conseguira fazer com que todos soubessem distinguir o lado direito do esquerdo.[25] Schwabrin tinha alguns livros franceses. Comecei a ler e despertou em mim certo gosto pela literatura. De manhã, eu lia, exercitava-me em traduções e, às vezes, fazia versos. Almoçava quase sempre em casa do comandante, onde geralmente passava o resto do dia. Às vezes, de noite, aparecia lá o padre Guerássim com a sua mulher Akulina Pamfílovna, que era a primeira portadora de notícias da redondeza. Naturalmente, via Aleksei Ivânovitch Schwabrin todos os dias, mas a sua conversa tornava-se dia a dia menos agradável para mim. Não gostava das suas eternas pilhérias sobre a família do comandante e, sobretudo, de certas observações sarcásticas sobre Maria Ivânovna. Outra sociedade não existia na fortaleza, mas eu não desejava melhor.

Apesar dos prognósticos, os basquires não nos molestavam e a tranquilidade reinava em torno de nossa fortaleza. Mas a paz foi rompida por inesperada luta intestina.

Eu já disse que me ocupava de literatura. As minhas tentativas eram já apreciáveis para aquela época, e alguns anos mais tarde foram muito elogiadas por Aleksandr Petróvitch Sumarókov.[26] Um dia, consegui escrever uma cançoneta que me deixou satisfeito. É sabido que os autores, sob o pretexto de exigir conselhos, costumam procurar às vezes um ouvinte benévolo. Por isso, tendo passado a limpo a minha cançoneta, fui mostrá-la a Schwabrin, que era a única pessoa em toda a fortaleza capaz de julgar aquela composição poética.

---

[25] No "Manuscrito limpo" a frase continua: "embora muitos deles, de modo a não se confundirem, fizessem o sinal da cruz antes de se virar". Púchkin possivelmente suprimiu a tirada por saber que a censura da época se atentava não só a questões de cunho político mas também às de cunho religioso. (N. da E.)

[26] Poeta russo (1717-1777). (N. da E.)

Depois de um pequeno preâmbulo, tirei do bolso o meu caderninho e li para ele os seguintes versinhos:

> Procuro esquecer-te, Macha,
> Ser livre longe de ti,
> Destruir a cisma amorosa,
> A desgraça em que eu caí.
>
> Mas os olhos meus carrascos
> Sempre brilham ao meu lado,
> Atormentam a minh'alma
> E me trazem perturbado.
>
> Sabendo a minha desgraça,
> Compadece-te de mim,
> Pois eu sou teu prisioneiro
> E não vivo mais sem ti.

— Que pensas disso? — perguntei a Schwabrin, esperando elogios, como um tributo que me fosse infalivelmente devido. Mas, para meu grande desprazer, Schwabrin, que era de costume complacente, declarou categoricamente que a minha canção não prestava.

— Por quê? — perguntei, procurando ocultar o meu desagrado.

— Porque — respondeu ele — tais versos são dignos de meu professor Vassili Kirílovitch Trediakovski[27] e me lembram muito as suas quadrinhas amorosas.

Tomou o meu caderninho e pôs-se a criticar impiedosamente cada verso e cada palavra, zombando de mim do modo mais ferino. Não me contive, arranquei-lhe das mãos o caderninho e disse que nunca mais lhe mostraria as minhas composições. Schwabrin zombou também dessa ameaça.

---

[27] Poeta e dramaturgo russo (1703-1769) de tendência classicista, muito admirado por Púchkin. (N. da E.)

— Vamos ver — disse ele — se cumprirás a palavra. Os poetas precisam de auditório como Ivan Kuzmitch da sua garrafa de vodca antes do almoço. Mas quem é essa Macha, a quem declaras a tua terna paixão e o teu amoroso infortúnio? Não será Maria Ivânovna?

— Não é da tua conta — respondi franzindo o sobrecenho — quem é essa Macha. Não peço a tua opinião, nem as tuas suposições.

— O quê! És um poeta de muito amor-próprio, mas um namorado bem modesto! — prosseguiu Schwabrin, irritando-me cada vez mais. — Mas escuta um conselho de amigo: se queres ter sucesso, deves agir de outro modo e não com essas cançonetas.

— O que pretendes dizer com isso? Faze o favor de te explicar melhor.

— Com muito prazer. Quero dizer que, se desejas que Macha Mirónova te vá visitar ao anoitecer, deves presenteá-la não com versinhos ternos, mas com um par de brincos.

Ferveu-me o sangue.

— Mas por que tens esta opinião sobre ela? — perguntei, contendo a custo a indignação.

— Porque — respondeu ele com um sorriso diabólico — conheço por experiência própria suas tendências e costumes.

— Mentes, miserável! — gritei enfurecido. — Mentes do modo mais desavergonhado.

O rosto de Schwabrin mudou de expressão.

— Isso não te vai passar assim — disse ele, apertando-me com força o braço. — Terás que me dar satisfação.

— Pois não, quando quiseres! — respondi alegremente. Naquele instante, eu era capaz de fazê-lo em pedaços.

Fui imediatamente falar com Ivan Ignátich e o encontrei de agulha na mão: por ordem de Vassilissa Egórovna, estava preparando cogumelos para o inverno, enfileirando-os e passando por eles uma linha.

— Olá, Piotr Andrêitch! — disse ele quando me viu. — Seja bem-vindo! Como foi que Deus o trouxe até aqui? Para tratar de que assunto, se me permite a pergunta?

Expliquei-lhe em poucas palavras que havia brigado com Aleksei Ivânitch e que pedia a ele, Ivan Ignátitch, que fosse meu padrinho. Ivan Ignátitch me ouviu com atenção, arregalando para mim o seu único olho.

— Está-me dizendo — interrompeu-me ele — que deseja atravessar Aleksei Ivânitch com arma branca e pretende que eu assista ao ato? Não é verdade, se me permite a pergunta?

— Exatamente.

— Perdão, Piotr Andrêitch! O que foi que o senhor inventou! Está brigado com Aleksei Ivânitch? Grande coisa! Palavras, leva-as o vento. Ele gritou com o senhor? Pois bem, xingue-o mais alto. Ele lhe deu um soco no nariz? Mande-lhe outro direto no ouvido, depois um segundo, um terceiro... e acabou-se. Depois, vamos tratar de apaziguá-los. Mas, para que se vai matar o próximo, se me permite a pergunta? E ainda bem se o senhor o matasse; que Deus me perdoe, mas eu também não gosto muito dele. Mas... e se for ele quem lhe vai furar a barriga? O que será então? Quem vai fazer papel de idiota, se me permite a pergunta?

As razões do sensato tenente não me demoveram e eu permaneci inflexível.

— Seja como quiser — disse Ivan Ignátitch —, faça como achar melhor. Mas para que preciso eu ser testemunha? Acaso é algo extraordinário ver dois homens brigando, se me permite a pergunta? Graças a Deus, estive nas guerras contra os suecos e os turcos e já vi muito dessas coisas.

Fiz o possível para lhe explicar o papel dos padrinhos num duelo, mas Ivan Ignátitch não podia compreender-me.

— Bem — disse ele —, já que deseja a minha intromissão nesse assunto, posso ir falar com Ivan Kuzmitch e relatar--lhe, por dever do ofício, que na fortaleza se prepara um ato contrário aos interesses do Estado, e perguntar também se o senhor comandante não vai tomar as medidas necessárias.

Assustei-me e pedi a Ivan Ignátich que nada dissesse ao comandante. A muito custo obtive dele a palavra de que não se intrometeria no assunto, e desisti da sua assistência.

Como de costume, passei o serão em casa do comandante. Esforcei-me por parecer alegre e indiferente, para não dar lugar a qualquer suspeita e evitar perguntas importunas. Devo confessar, porém, que não estava possuído daquele sangue-frio de que se vangloriam quase sempre os que já passaram por situação idêntica. Naquela noite, estava predisposto à ternura. Maria Ivânovna me agradava ainda mais que do costume. O pensamento de que a estava vendo talvez pela última vez acrescia-lhe aos meus olhos algo de comovente. Schwabrin também apareceu. Levei-o para um canto e lhe dei conta da minha conversa com Ivan Ignátitch.

— Para que precisamos de padrinhos? — disse-me secamente. — Podemos passar sem eles.

Combinamos realizar o duelo por trás das medas de feno, que ficavam perto da fortaleza, e nos comprometemos a estar lá depois das seis da manhã. Conversávamos com um ar tão amistoso que Ivan Ignátich ficou muito contente e deixou escapar o segredo.

— Já era tempo — disse-me ele com ar satisfeito. — A pior das pazes vale mais que a melhor das brigas, e a saúde está acima da honra.

— O quê, o quê, Ivan Ignátitch? — perguntou Vassilissa Egórovna, que estava num canto, dispondo cartas para adivinhação. — Não prestei atenção ao que dizia.

Ivan Ignátitch notou em mim sinais de contrariedade e, lembrando-se da promessa que fizera, ficou confuso e sem saber o que responder. Schwabrin acudiu em seu auxílio.

— Ivan Ignátitch aprova a nossa reconciliação — disse ele.

— E com quem foi que brigaste, paizinho?

— Piotr Andrêitch e eu tivemos uma discussão bastante séria.

— Por quê?

— Por causa de bobagem, Vassilissa Egórovna, por causa de uma cançoneta.

— Bonito pretexto para brigar! Uma cançoneta!... Mas, como foi que isto sucedeu?...

— Foi assim: Piotr Andrêitch compôs recentemente uma canção e começou a cantá-la hoje na minha presença. Eu também entoei a minha predileta:

> Filha do capitão,
> Não passeies à meia-noite.[28]

Começamos a discutir. Piotr Andrêitch a princípio se irritou, mas depois compreendeu que cada um tem liberdade para cantar o que bem entende. E assim acabou a nossa briga.

A falta de vergonha de Schwabrin por pouco não me enfureceu. Mas ninguém, com exceção de mim, compreendeu as suas grosseiras alusões. Pelo menos, ninguém lhes deu atenção.

Da cançoneta, o assunto da conversa passou para os poetas, e o comandante observou que todos eles são uns bêbedos perdidos e me aconselhou amistosamente que deixasse a versificação, como algo que prejudica o serviço e não pode conduzir a nada de bom.

A presença de Schwabrin tornava-se insuportável para mim. Pouco depois, disse boa-noite ao comandante e à sua família. Chegando em casa, examinei a espada, experimen-

---

[28] Versos de uma cantiga popular incluída na *Coletânea de canções folclóricas russas* (1790), de Nikolai Lvov (1753-1804) com partituras de Ivan Pratch (1750-1818). No manuscrito de Púchkin havia mais dois versos que não estão presentes na versão coletada por Lvov: "A aurora da matina se levanta,/ Máchenka chegou, e por mim chama". (N. da E.)

tei a ponta e me deitei para dormir, ordenando a Savélitch que me acordasse pouco depois das seis.

No dia seguinte, à hora marcada, já estava atrás das medas de feno, esperando o meu opositor. Pouco depois, ele também apareceu.

— Podemos ser descobertos — disse ele —, temos de nos apressar.

Despimos os uniformes, ficamos de camisolão e desembainhamos as espadas. Naquele instante, de repente, Ivan Ignátitch saiu de trás de uma das medas, acompanhado de uns cinco inválidos. Exigiu que o acompanhássemos à presença do comandante. Obedecemos contrariados. Os soldados nos rodearam e nós saímos acompanhando Ivan Ignátitch, que nos conduziu em triunfo, marcando o passo com imponência fora do comum.

Entramos em casa do comandante, Ivan Ignátitch abriu a porta e gritou solenemente: "Eu os trouxe!". Vassilissa Egórovna saiu ao nosso encontro.

— Ah, meus paizinhos! Como ousaram? O quê! Promover homicídio em nossa fortaleza! Ivan Kuzmitch, manda prendê-los imediatamente. Piotr Andrêitch! Aleksei Ivânitch! Entreguem já as suas espadas, entreguem-nas, entreguem-nas! Palachka, leva estas espadas para a despensa. Piotr Andrêitch, nunca esperei isso de ti. Não tens vergonha? Que o fizesse Aleksei Ivânitch, vá lá: ele foi transferido da guarda por homicídio e não crê em Deus, Nosso Senhor. Mas tu? Estás indo pelo mesmo caminho?

Ivan Kuzmitch estava plenamente de acordo com a esposa e acrescentou:

— Vassilissa Egórovna está dizendo a verdade. Os duelos são terminantemente proibidos por um artigo do regulamento disciplinar.

Nesse ínterim, Palachka nos retirou as espadas e levou-as para a despensa. Não pude deixar de rir. Schwabrin, porém, conservou seu ar importante.

— Com todo o meu respeito pela senhora — disse ele com sangue-frio —, não posso deixar de observar que se está incomodando em vão, submetendo-nos ao seu julgamento. Deixe isso para Ivan Kuzmitch, pois é um assunto que lhe compete.

— Ah, paizinho! — replicou Vassilissa Egórovna. — Porventura marido e mulher não são um só, em carne e espírito? Ivan Kuzmitch! Por que ficas aí inativo? Prende-os já em calabouços apartados, a pão e água, até que lhes passe essa bobagem; o padre Guerássim deve impor-lhes uma penitência, para que peçam perdão a Deus e se arrependam diante dos homens.

Ivan Kuzmitch não sabia o que decidir. Maria Ivânovna estava muito pálida. A tempestade foi passando. Vassilissa Egórovna se acalmou e fez com que nos beijássemos. Palachka trouxe de volta as nossas espadas. Saímos da casa do comandante aparentemente reconciliados. Ivan Ignátitch nos acompanhou.

— Não tem vergonha? — perguntei-lhe zangado. — Como pôde denunciar-nos ao capitão, depois de me prometer que não o faria?

— Juro por Deus que não disse coisa alguma a Ivan Kuzmitch — respondeu ele. — Foi Vassilissa Egórovna quem me interrogou. Ela deu todas as ordens, sem conhecimento do capitão. Aliás, graças a Deus, tudo terminou assim.

Dito isso, foi para casa, deixando-me a sós com Schwabrin.

— O nosso caso não pode terminar assim — disse eu.

— Naturalmente — respondeu Schwabrin. — O senhor me responderá com o sangue pelo seu atrevimento. Mas, provavelmente, seremos vigiados. Teremos de fingir por alguns dias. Até a vista.

E despedimo-nos como se nada houvesse acontecido.

Voltando à casa do comandante, eu, como de costume, sentei-me perto de Maria Ivânovna. Ivan Kuzmitch não estava em casa. Vassilissa Egórovna ocupava-se de assuntos domésticos. Conversávamos a meia-voz. Maria Ivânovna me censurava carinhosamente pela preocupação que havia causado a todos com a minha briga com Schwabrin.

— Quase perdi os sentidos — disse ela — quando nos vieram dizer que vocês pretendiam bater-se à espada. Como os homens são esquisitos! Por uma palavra, que eles provavelmente esquecerão uma semana mais tarde, são capazes de se matar e sacrificar não apenas a vida, mas também a consciência e o bem-estar daqueles que... Mas eu estou certa de que não foi o senhor quem iniciou a briga. Com certeza, o culpado é Aleksei Ivânitch.

— E por que pensa assim, Maria Ivânovna?

— Assim... ele é tão zombeteiro! Não gosto de Aleksei Ivânitch. Ele me desagrada muitíssimo. Há, porém, uma circunstância muito esquisita: por nada deste mundo, quereria também desagradar a ele. Isso me inquietaria terrivelmente.

— Mas que pensa, Maria Ivânovna? A senhorita lhe agrada ou não?

Maria Ivânovna soltou um soluço e ficou corada.

— Tenho a impressão... Penso que lhe agrado — disse ela.

— Mas por que pensa assim?

— Porque ele já me pediu em casamento.

— O quê? Pediu-a em casamento? Quando foi isso?

— No ano passado, uns dois meses antes da chegada do senhor.

— E a senhorita não assentiu?

— Como está vendo, não. Está claro que Aleksei Ivânitch é um homem inteligente, de boa família, e tem posses. Mas quando me lembro que seria preciso beijá-lo diante do altar, na presença de todos... Não, por nada deste mundo!

As palavras de Maria Ivânovna me abriram os olhos e me explicaram muita coisa. Compreendi a pertinácia com que Schwabrin a perseguia com a sua maledicência. Provavelmente, havia notado a nossa mútua inclinação e procurava afastar-nos um do outro. As palavras que haviam motivado a nossa briga pareceram-me ainda mais torpes, quando, em lugar da pilhéria grosseira e inconveniente, vi nelas uma calúnia premeditada. O desejo de castigar o atrevido maldizente tornou-se ainda mais forte em mim, e passei a esperar com impaciência uma ocasião oportuna.

A espera não foi prolongada. No dia seguinte, quando estava sentado compondo uma elegia e roía a pena, procurando uma rima, Schwabrin bateu sob a minha janela. Deixei a pena, apanhei a espada e fui falar com ele.

— Para que adiar? — disse-me ele. — Ninguém nos vigia. Vamos até o rio. Ninguém nos estorvará.

Saímos em silêncio. Descendo um atalho íngreme, paramos junto à própria água e desembainhamos as espadas. Schwabrin era mais hábil, mas eu era mais forte e corajoso, e M. Beaupré, que fora soldado, me dera algumas aulas de esgrima, que me serviram nessa ocasião. Schwabrin não esperava encontrar em mim um oponente tão perigoso. Durante muito tempo, não conseguimos fazer qualquer mal um ao outro. Finalmente, notando que Schwabrin se enfraquecia, comecei a avançar sobre ele com ardor, fazendo-o retroceder até quase dentro do rio. De repente, ouvi que alguém proferia o meu nome em voz alta. Voltei a cabeça e vi Savélitch que corria na minha direção pelo atalho íngreme... No mesmo instante, senti uma forte pontada no peito, abaixo do ombro direito. Caí e perdi os sentidos.

## V.
## O AMOR

> Ah, donzela, formosa donzela,
> Não vás jovem para o altar.
> Pede conselho a teus pais.
> A teus pais e aos demais parentes.
> Faze antes um acúmulo de juízo,
> De juízo e de dote, donzela.
>
> Canção popular

> Se encontrares alguém melhor que eu, me esquecerás,
> Se encontrares alguém pior, me lembrarás.
>
> Kniajnín

Ao recobrar os sentidos, não pude durante algum tempo dar-me conta do sucedido. Estava de cama, num quarto desconhecido para mim, e sentia uma grande fraqueza. Vi Savélitch parado diante de mim, com uma vela nas mãos. Alguém desfazia cuidadosamente as ataduras que me comprimiam o peito e o ombro. Aos poucos, os meus pensamentos foram ficando mais nítidos. Lembrei-me do meu duelo e compreendi que estava ferido. Naquele momento, rangeu uma porta.

— Então, como está? — murmurou uma voz que me fez estremecer.

— Sempre na mesma — respondeu Savélitch com um suspiro. — Já é o quinto dia que está sem sentidos.

Quis voltar a cabeça, mas não pude.

— Onde estou? Quem está aqui? — perguntei com um esforço.

Maria Ivânovna aproximou-se de minha cama e inclinou-se sobre mim.

— Então, como se sente?

— Graças a Deus — respondi com voz enfraquecida. — E a senhorita, Maria Ivânovna? Diga-me...

Não tive forças para prosseguir e fiquei calado. Savélitch soltou uma exclamação, e a alegria estampou-se em seu rosto.

— Voltou a si! Voltou a si! — repetia ele. — Graças, Senhor! Ah, paizinho Piotr Andrêitch! Como me assustaste! Não é brincadeira: cinco dias!...

Maria Ivânovna interrompeu-o.

— Não converses muito com ele, Savélitch, ainda está fraco.

Ela saiu e fechou a porta devagarinho. Os meus pensamentos estavam agitados. Eu me achava em casa do comandante, Maria Ivânovna viera visitar-me! Quis fazer algumas perguntas a Savélitch, mas o velho meneou a cabeça e tapou os ouvidos. Fechei os olhos, contrariado, e logo tornei a adormecer.

Despertando, chamei Savélitch, mas, em lugar dele, vi Maria Ivânovna diante de mim. A sua voz angelical me saudava. Não consigo descrever a doce emoção que se apossou de mim naquele instante. Apoderei-me de sua mão e encostei nela o rosto, cobrindo-a de lágrimas enternecidas. Macha não a retirou... e, de repente, os seus lábios se encostaram à minha face, e eu senti o seu beijo ardente e úmido. Um fogo percorreu-me o corpo.

— Minha boa, minha querida Maria Ivânovna — disse eu —, sê minha esposa, faze a minha felicidade.

Ela voltou a si e, retirando a mão, disse:

— Acalme-se, pelo amor de Deus. Ainda está em perigo. Cuide de si, ainda que seja por minha causa.

Dito isso, saiu, deixando-me completamente extático. A felicidade me ressuscitou. Ela será minha! Ela me ama! Este pensamento enchia todo o meu ser.

A partir daquele instante, comecei a melhorar hora a hora. A minha cura fora confiada ao barbeiro da fortaleza, pois não havia outro médico, mas, graças a Deus, ele não complicava as coisas. A mocidade e a natureza apressaram o meu restabelecimento. Toda a família do comandante cuidava de mim. Maria Ivânovna, principalmente, não me deixava. Como era natural, recomecei na primeira oportunidade a declaração interrompida, e Maria Ivânovna me escutou com mais paciência. Ela me confessou sem qualquer afetação a sua terna inclinação por mim e disse que os pais, naturalmente, ficariam contentes com a sua felicidade.

— Mas pense bem — acrescentou ela —, não haverá algum empecilho por parte dos seus?

Fiquei pensativo. Não duvidava da ternura materna, mas, conhecendo as ideias e o caráter de meu pai, sentia que o meu amor não o comoveria muito e que ele consideraria tal sentimento como uma extravagância juvenil. Confessei tudo a Maria Ivânovna com a maior sinceridade, mas decidi, mesmo assim, escrever a meu pai com toda a eloquência possível, pedindo a sua bênção. Mostrei a carta a Maria Ivânovna, a qual a achou tão convincente e comovedora que não duvidou mais do seu êxito, e se entregou aos sentimentos de seu terno coração, com toda a confiança da mocidade e do amor.

Fiz as pazes com Schwabrin nos primeiros dias de convalescença. Ivan Kuzmitch, censurando-me pelo duelo, disse:

— Ah! Piotr Andrêitch! Eu deveria prender-te, mas já estás castigado sem isso. Mas Aleksei Ivânitch está preso e bem guardado no armazém de pão, e a sua espada foi trancada à chave por Vassilissa Egórovna. Que pense bem e se arrependa.

Eu era feliz demais para conservar no coração um sentimento de inimizade. Pedi que dessem liberdade a Schwabrin, e o bom comandante, depois de obter o beneplácito da esposa, resolveu soltá-lo. Schwabrin veio visitar-me. Manifestou o seu profundo pesar pelo que havia sucedido entre nós, confessou que era o único culpado e me pediu que esquecesse o passado. Não sendo rancoroso por natureza, perdoei-lhe sinceramente a nossa briga e o ferimento que havia recebido dele. Em sua calúnia, eu via o despeito do amor-próprio ofendido e de sentimento amoroso repelido, e perdoei com magnanimidade o meu infeliz rival.

Pouco depois, estava completamente restabelecido e pude trasladar-me para minha residência. Esperei com impaciência uma resposta à minha carta, não ousando ter esperança e procurando abafar os meus tristes pressentimentos. Ainda não me explicara com Vassilissa Egórovna e com seu marido, mas o meu pedido não lhes causaria surpresa. Nem eu, nem Maria Ivânovna procurávamos ocultar deles os nossos sentimentos, e já estávamos certos de antemão de que obteríamos o seu consentimento.

Finalmente, um dia, de manhã, Savélitch entrou no meu quarto com uma carta na mão. Trêmulo, apoderei-me dela. O endereço fora escrito por meu pai, o que me anunciou com antecedência algo importante, pois as cartas para mim eram geralmente escritas por minha mãe, e ele apenas acrescentava algumas linhas. Durante muito tempo, fiquei sem abrir o envelope, relendo o endereço redigido com solenidade: "A meu filho Piotr Andrêievitch Grinióv. Governo de Orenburg. Fortaleza Belogórskaia". Procurei adivinhar pela letra o estado de espírito em que fora escrita a carta. Finalmente me decidi a abri-la e, desde as primeiras linhas, vi que tudo tinha ido ao diabo. O conteúdo da carta era o seguinte:

"Meu filho Piotr! Recebemos no dia 15 do corrente a carta em que pedes a nossa bênção e o consentimento para o teu matrimônio com Maria Ivânovna, filha de Mirónov, mas não somente não tenciono dar a minha bênção e o meu consentimento, como também pretendo chegar até onde estás e castigar-te como a um moleque, apesar do teu posto de oficial, pois tu provaste seres indigno de usar a espada, que te foi confiada para a defesa da pátria, e não para duelos com outros vagabundos iguais a ti. Vou escrever imediatamente a Andrei Kárlovitch, pedindo-lhe que te transfira da fortaleza Belogórskaia para algum lugar ainda mais afastado, onde te cures dessas bobagens. Tua mãe, ao saber do teu duelo e do ferimento que recebeste, adoeceu de desgosto e está acamada. Que será de ti? Rezo a Deus, pedindo que te corrija, mas não ouso esperar sequer Sua tão grande mercê.

Teu pai A. G."

A leitura dessa carta despertou em mim diferentes sentimentos. As expressões cruéis, que meu pai não havia poupado, me ofenderam profundamente. O desdém com que ele se referia a Maria Ivânovna parecia-me tão inconveniente quanto injusto. A possibilidade de ser transferido da fortaleza me assustava. Mas o que me causou maior desgosto foi a notícia da enfermidade de minha mãe. Estava indignado com Savélitch, pois não duvidei de que a notícia de meu duelo tivesse chegado a meus pais por seu intermédio. Caminhando acanhado pelo meu quarto, parei diante dele e disse-lhe, com ar ameaçador.

— Pelo que vejo, não te bastou fazer com que me ferissem e me deixassem durante um mês inteiro à beira do túmulo; quiseste também matar minha mãe.

Savélitch parecia fulminado por um raio.

— Senhor! — disse ele, quase rompendo em soluços. — O que queres dizer? Sou o culpado de teu ferimento?! Deus é testemunha de que eu corria para te proteger com o meu peito contra a espada de Aleksei Ivânitch! Atrasei-me por causa da velhice maldita. Mas o que foi que fiz a tua mãe?

— Que fizeste? — retruquei. — Quem te pediu escrever denúncias contra mim? Foste acaso designado para me espionar?

— Escrevi denúncias contra ti? — respondeu Savélitch com lágrimas nos olhos. — Senhor, Rei dos Céus! Agora, faze o favor de ler o que me escreve o patrão: verás se te denunciei.

Tirou do bolso uma carta e leu o seguinte:

"Deverias ter vergonha, velho cão, pois, apesar de minhas ordens terminantes, nada me comunicastes sobre o comportamento de meu filho Piotr Andrêievitch, de modo que gente estranha teve que me informar sobre as suas travessuras. É assim que desempenhas a tua função e cumpres a vontade de teus amos? Vou mandar-te, velho cão, pastar porcos, por haveres ocultado a verdade e por cumplicidade com o rapaz. Ordeno-te responder-me imediatamente após o recebimento desta, e me informar sobre o seu atual estado de saúde, o qual, segundo me escrevem, tem melhorado, bem como explicar em que lugar foi ele ferido e se ficou bem curado."

Era evidente que Savélitch não tinha culpa e que eu o ofendera inutilmente com as minhas censuras e suspeitas. Pedi que me perdoasse, mas o velho estava inconsolável.

— E foi para chegar a isso que vivi tantos anos! — repetia ele. — E eis as recompensas que mereci de meus senhores! Sou velho cão, sirvo apenas para guardar porcos, e também fui eu o causador de teu ferimento! Não, paizinho Piotr Andrêitch! O culpado de tudo não sou eu, mas o maldito "mussiê": foi ele quem te ensinou a manejar estes espetos de ferro e bater o pé, como se isso bastasse para alguém se defender de um malfeitor! E para isso foi preciso contratar o "mussiê" e gastar dinheiro inutilmente!

Todavia, quem se teria encarregado de informar meu pai sobre o meu comportamento? O general? Mas, ao que parece, ele não se ocupava muito de mim, e Ivan Kuzmitch não achou necessário relatar o meu duelo. Eu me perdia em suposições. Minhas suspeitas caíram sobre Schwabrin. Era a única pessoa a quem tal denúncia podia trazer proveito, pois, em consequência, era possível o meu afastamento da fortaleza e um rompimento com a família do comandante. Fui contar tudo a Maria Ivânovna. Ela me recebeu à porta da casa.

— Que aconteceu? — disse ela quando me viu. — Como está pálido!

— Está tudo acabado! — respondi e lhe dei a carta de meu pai.

Ela empalideceu por sua vez. Acabada a leitura, devolveu-me a carta com mão trêmula e disse com voz entrecortada:

— É o meu destino... Os seus pais não me querem aceitar na família. Que seja feita em tudo a vontade do Senhor! Deus sabe melhor que nós o que nos convém. Não podemos fazer nada, Piotr Andrêitch. Seja ao menos feliz...

— Não pode ser! — gritei, tomando-lhe a mão. — Tu me amas, e eu estou disposto a tudo. Vamos arrojar-nos aos pés de teus pais. Eles são gente simples e não uns orgulhosos sem coração... Hão de nos dar a bênção; casar-nos-emos... e depois, com o tempo, tenho certeza, havemos de abrandar meu pai. Minha mãe ficará do nosso lado. Ele me perdoará...

— Não, Piotr Andrêitch — respondeu Macha. — Não me casarei contigo sem a bênção de teus pais, pois não serias feliz. Submetamo-nos à vontade de Deus. Se encontrares aquela que te está destinada, se amares outra, que Deus seja contigo, Piotr Andrêitch, farei por ambos...

Rompeu em pranto e afastou-se de mim. Quis segui-la, mas senti que não estava em condições de me dominar, e voltei para casa.

Estava sentado, mergulhado em profundas reflexões, quando Savélitch interrompeu meus pensamentos.

— Senhor! — disse ele, estendendo para mim uma folha de papel escrito. — Vê se eu denunciei o meu amo e se procuro indispor o pai com o filho.

Tomei das suas mãos o papel: era a resposta de Savélitch à carta recebida. Ei-la, palavra por palavra:

"Senhor Andrei Petróvitch, nosso pai magnânimo!

Recebi a sua carta magnânima, na qual se digna zangar-se comigo, seu escravo, dizendo que é uma vergonha não cumprir as ordens do amo. Eu não sou velho cão, mas seu criado fiel, obedeço às ordens de meu amo e sempre servi fielmente até que me branquearam os cabelos. Eu não escrevi sobre o ferimento de Piotr Andrêitch para não assustar à toa, e assim mesmo a patroa, nossa mãe Avdótia Vassílievna, assustou-se tanto que adoeceu e por sua saúde vou pedir a Deus. Piotr Andrêitch foi ferido no peito, debaixo do ombro direito, junto ao próprio ossinho, numa profundidade de um *verchok*[29] e meio, e ficou em casa do comandante, para onde o carregamos depois do duelo, e foi curado pelo barbeiro daqui, Stepan Paramonov, e agora Piotr Andrêitch, graças a Deus, está restabelecido e só posso dizer coisas boas a respeito dele. Os superiores estão satisfeitos com ele, e em casa de Vassilissa Egórovna é o mesmo que seu próprio fi-

---

[29] Antiga medida equivalente a 4,4 cm. (N. do T.)

lho. Quanto ao que aconteceu com ele, não é motivo para censurá-lo: o cavalo tem quatro patas, e assim mesmo tropeça. E o senhor se digna escrever que me mandará pastar porcos, e seja feita a sua vontade de fidalgo. Com esta mando os meus cumprimentos de escravo.

Seu servo fiel

Arkhip Savélitch"

Não pude deixar de sorrir algumas vezes, lendo a epístola do bom velho. Eu não estava em condições de responder a meu pai, e a carta de Savélitch me pareceu suficiente para acalmar minha mãe.

Desde aquele dia, a minha situação mudou. Maria Ivânovna quase não falava comigo e procurava evitar-me de todos os modos possíveis. A casa do comandante perdeu o seu atrativo para mim. Aos poucos, habituei-me a ficar sozinho em casa. Vassilissa Egórovna a princípio me censurou por isso, mas, vendo a minha teimosia, deixou-me em paz. Via Ivan Kuzmitch somente quando o serviço o exigia. Encontrava-me com Schwabrin raramente e de má vontade, tanto mais que notava nele uma surda hostilidade contra mim, o que aumentava as minhas suspeitas. A minha vida se tornou insuportável. Mergulhei em torva melancolia, que era alimentada pela solidão e pela inatividade. O amor me abrasava no insulamento, e cada dia se tornava mais penoso para mim. Perdi o gosto pela leitura e pelas letras. Meu espírito se abateu. Tive medo de ficar louco ou entregar-me à libertinagem. Mas acontecimentos inesperados, que tiveram grande influência sobre toda a minha vida, deram a minh'alma uma forte e benévola comoção.

## VI.
## A REVOLTA DE PUGATCHÓV

> Escutai, jovens rapazes, escutai
> O que nós, velhos, vamos contar.
>
> Canção

Antes de iniciar a narração dos estranhos acontecimentos de que fui testemunha, devo dizer algumas palavras sobre a situação em que se encontrava o governo de Orenburg em fins de 1773.

Essa vasta e rica região era habitada por muitos povos semisselvagens, que só recentemente haviam reconhecido a soberania dos tsares russos. As suas frequentes rebeliões, a falta de hábito com as leis e a vida civil em geral, sua volubilidade e crueldade exigiam por parte do governo uma vigilância incessante a fim de mantê-los submissos. As fortalezas foram construídas em lugares considerados convenientes, e povoadas, em sua maior parte, por cossacos, antigos ocupantes das margens do Iáik. Mas os cossacos do Iáik, que deviam zelar pela tranquilidade e segurança daquelas paragens, tornaram-se a partir de certa época súditos inquietos e perigosos. Em 1772, ocorreu em sua cidade principal uma revolta, motivada pelas severas medidas tomadas pelo major-general Traubenberg[30] para obrigar o exército à devida disci-

---

[30] Mikhail Mikháilovitch (Michael Johann) Rausch von Traubenberg (1722-1772), major-general do exército russo oriundo da nobreza livônia. (N. da E.)

plina. Disso resultou o bárbaro assassínio de Traubenberg, a mudança arbitrária do governo local e, finalmente, o esmagamento da revolta por meio da metralha e de castigos implacáveis.

Isso havia ocorrido pouco antes de minha chegada à fortaleza Belogórskaia. Tudo estava tranquilo ou assim parecia. As autoridades acreditaram com demasiada facilidade no suposto arrependimento dos astutos rebeldes, os quais ocultavam o seu rancor, esperando ocasião oportuna para renovar as desordens.

Volto, agora, ao meu relato.

Certa noite (era em princípios de outubro de 1773), eu estava sozinho em casa; sentado junto à janela, ouvia os uivos do vento de outono e olhava para as nuvens que passavam velozes diante da Lua. Vieram chamar-me da parte do comandante. Saí imediatamente. Em casa do capitão, encontrei Schwabrin, Ivan Ignátitch e o sargento cossaco. Nem Vassilissa Egórovna, nem Maria Ivânovna estavam na sala. O comandante cumprimentou-me com ar preocupado. Fechou as portas, fez com que nos sentássemos, com exceção do sargento, que permaneceu junto à porta, e, tirando um papel do bolso, disse:

— Tenho uma notícia importante, senhores oficiais! Ouçam o que escreve o general.

Dito isso, pôs os óculos e leu o seguinte:

"Ao senhor comandante da fortaleza Belogórskaia, capitão Mirónov.

Confidencial. Pela presente, participo-lhe que o cossaco do Don e herege Emelian Pugatchóv fugiu da prisão e, incorrendo em indesculpável atrevimento, pela apropriação do nome do falecido imperador Pedro III, reuniu um bando de malfeitores, promoveu a revolta nos povoados do Iáik e já tomou e arrasou diversas fortalezas, cometendo por toda parte pilhagens e assassínios. Em vista disso, após o recebimento desta comunicação, o senhor capitão deve tomar imediatamente as necessárias medidas para rechaçar o bandido e usurpador supramencionado e, se possível, para o seu completo esmagamento, caso ele se dirija contra a fortaleza cujo comando lhe foi confiado."

— Tomar as necessárias medidas! — disse o comandante, tirando os óculos e dobrando o papel. — É fácil de dizer. Pelo visto, o bandido dispõe de forças, e nós temos apenas cento e trinta homens, sem contar os cossacos, dos quais pouco podemos esperar, isso dito sem intenção de te ofender, Maksímitch (o sargento sorriu). Mas não há remédio, senhores oficiais! Sejam cuidadosos, estabeleçam postos de sentinelas e rondas noturnas. Em caso de ataque, fechem o portão e levem os soldados para tomar posição. Tu, Maksímitch, deves tomar muito cuidado com os teus cossacos. Examinem e limpem bem o canhão. E, sobretudo, mantenham isso em segredo, para que na fortaleza ninguém possa inteirar-se dos fatos antes do tempo.

Dadas estas ordens, Ivan Kuzmitch nos dispensou. Saí junto com Schwabrin e, pelo caminho, fomos comentando o que havíamos ouvido.

— Que pensas? Como vai acabar tudo isso? — perguntei-lhe.

— Deus sabe — respondeu ele. — Vamos ver. Por enquanto, ainda não vejo nada de grave. Todavia, se...

Ficou pensativo e começou a assobiar uma ária francesa.

Apesar de todas as nossas precauções, a notícia do aparecimento de Pugatchóv espalhou-se pela fortaleza. Ivan Kuzmitch, apesar da grande consideração que tinha pela esposa, por nada deste mundo lhe revelaria um segredo de serviço a ele confiado. Tendo recebido a carta do general, soubera afastar Vassilissa Egórovna com bastante habilidade, dizendo-lhe que o padre Guerássim havia recebido de Orenburg certas notícias muito interessantes, que ele conservava em absoluto segredo. Vassilissa Egórovna logo decidiu fazer uma visita à esposa do sacerdote e, aconselhada por Ivan Kuzmitch, levou Macha consigo, para que não se aborrecesse sozinha.

Depois de se tornar dono absoluto de sua casa, Ivan Kuzmitch imediatamente nos mandou chamar e trancou Palachka na despensa, para que não ouvisse a conversa.

Vassilissa Egórovna voltou para casa sem ter obtido as notícias recebidas pelo padre Guerássim e, ao voltar, soube que, na sua ausência, tinha havido uma conferência e que Palachka estivera trancada. Adivinhou que fora enganada pelo marido e começou a interrogá-lo. Mas Ivan Kuzmitch se preparara para o ataque. Não se perturbou e foi respondendo animadamente à sua curiosa companheira:

— Sabes, mãezinha? As mulheres da fortaleza começaram a usar palha para acender os fogões e, como isso pode provocar uma desgraça, dei ordem severa para que usemos ramos secos em vez de palha.

— Qual foi o assunto da conferência?

Ivan Kuzmitch não estava preparado para esta pergunta. Ficou confuso e balbuciou algo sem nexo. Vassilissa Egórovna percebeu a traição do marido, mas, sabendo que nada obteria dele, deu por findo o interrogatório e desviou o assunto para os pepinos salgados que Akulina Pamfílovna preparava por um processo muito especial. Vassilissa Egórovna passou toda a noite sem dormir e de modo algum podia adivinhar que segredos existiam na cabeça de seu marido e que ela não devia saber.

No dia seguinte, ao voltar da missa, viu como Ivan Ignátitch tirava do canhão trapos, pedrinhas, lascas de madeira, ossos e lixo de toda espécie, metido ali pelos moleques.

"O que significam estes preparativos bélicos?", pensou

ela. "Não estarão esperando um ataque de quirguizes? Mas seria possível que Ivan Kuzmitch quisesse esconder de mim tais ninharias?"

Chamou Ivan Ignátitch, com o firme propósito de fazer com que ele desvendasse o mistério que atormentava a sua curiosidade feminina. Fez-lhe algumas censuras relacionadas com assuntos domésticos, tal como o juiz que dá início à instrução, fazendo perguntas alheias ao caso, para distrair a suspicácia do interrogado. Depois, manteve-se em silêncio por algum tempo, exalou um profundo suspiro e disse, meneando a cabeça:

— Meu Deus! Viste que novidades temos? O que será de tudo isso?

— Eh, mãezinha! — respondeu Ivan Ignátitch. — O senhor é misericordioso. Temos soldados suficientes e muita pólvora, o canhão eu acabo de limpar. Talvez possamos, com a graça de Deus, dar a Pugatchóv uma resposta à altura.

— Mas quem é esse Pugatchóv? — perguntou ela.

Naquele momento, Ivan Ignátitch percebeu que dissera o que não devia, e mordeu a língua. Mas já era tarde. Vassilissa Egórovna obrigou-o a contar tudo, mas prometeu-lhe não dizer coisa alguma a ninguém.

Vassilissa Egórovna cumpriu a palavra e não falou sobre o assunto com pessoa alguma, com exceção da mulher do padre, e assim mesmo só porque esta última tinha uma vaca pastando na estepe e que podia ser apresada pelos malfeitores.

Em breve, todos começaram a falar de Pugatchóv. Os comentários variavam. O comandante mandou o sargento informar-se minuciosamente de tudo nas aldeias e fortalezas vizinhas. O sargento voltou dois dias mais tarde e disse ter visto na estepe, a umas sessenta verstas da fortaleza, uma infinidade de fogos, e ter ouvido dos basquires que uma força desconhecida avançava pela região. Todavia, não pôde dizer algo de mais positivo, pois tivera medo de ir mais longe.

Na fortaleza, tornou-se evidente uma agitação fora do comum entre os cossacos. Em todas as ruas eles se agrupavam aos magotes, conversando em voz baixa entre si e dispersando-se ao aparecer um dragão ou soldado da guarnição. Alguns elementos de confiança foram destacados para espioná-los, e o calmuco batizado Iulai fez uma importante comunicação ao comandante. Segundo Iulai, eram falsas as declarações do sargento. O ardiloso cossaco, ao voltar, havia declarado a seus companheiros que estivera com os rebeldes e se apresentara ao próprio chefe deles, o qual lhe dera a mão e conversara com ele por muito tempo. O comandante mandou imediatamente prender o sargento e nomeou Iulai em seu lugar. Esta notícia foi recebida pelos cossacos com evidente descontentamento. Eles murmuravam bastante alto, e Ivan Ignátitch, que fora desempenhar ordens do comandante, ouvira-os dizer:

— Vais ver uma coisa, rato de guarnição!

O comandante pretendia interrogar o prisioneiro naquele mesmo dia. Mas o sargento fugiu da prisão, provavelmente com o auxílio de seus partidários.

Um novo fato aumentou a inquietação do comandante. Foi apanhado um basquir com proclamações revolucionárias. Por tal motivo, o comandante quis reunir mais uma vez os seus oficiais e, com tal fim, pensou novamente em afastar Vassilissa Egórovna sob um pretexto plausível. Mas, sendo Ivan Kuzmitch sincero e reto, por natureza não encontrou outra desculpa, além da que usara da vez anterior.

— Escuta, Vassilissa Egórovna — disse ele, com um pigarro —, dizem que o padre Guerássim recebeu da cidade...

— Basta de mentiras, Ivan Kuzmitch — interrompeu-o a esposa. — Naturalmente, queres reunir os oficiais para tratar de Emelian Pugatchóv. Tu não me enganas.

Ivan Kuzmitch arregalou os olhos.

— Bem, mãezinha — disse ele —, visto que já sabes tudo, podes ficar. Vamos conversar na tua presença.

— Isso, paizinho! — respondeu ela. — Essas espertezas não são para ti. Manda chamar os oficiais.

Reunimo-nos novamente. Ivan Kuzmitch leu na presença da esposa a proclamação de Pugatchóv, redigida por algum cossaco semianalfabeto. O bandido declarava a sua intenção de se dirigir imediatamente para a nossa fortaleza, convidava os soldados e cossacos a ingressar no seu bando e aconselhava os oficiais a não opor resistência, ameaçando-os com o castigo. A proclamação estava redigida em termos fortes e grosseiros e devia causar uma impressão perigosa no ânimo da gente simples.

— Que patife! — exclamou a mulher do comandante. — O que se atreve a nos propor! Sair ao encontro deles e depor os estandartes a seus pés! Ah, filho de cadela! Não sabe ele porventura que já temos quarenta anos de serviço e já vimos de tudo, graças a Deus? Será possível que tenha havido comandantes que obedeceram ao bandido?

— Parece que não deveria haver — respondeu Ivan Kuzmitch —, mas dizem que o malfeitor já se apoderou de muitas fortalezas.

— Pelo visto, ele deve ser realmente forte — observou Schwabrin.

— Agora vamos conhecer a sua força real — disse o comandante. — Vassilissa Egórovna, quero a chave do depósito. Ivan Ignátitch, traze o basquir e manda Iulai vir com os açoites.

— Espera, Ivan Kuzmitch — disse Vassilissa Egórovna, erguendo-se. — Deixa-me levar Macha para fora de casa. Senão, vai assustar-se ao ouvir os gritos. E eu também, para dizer a verdade, não sou muito amiga dessas inquirições. A vocês que ficam, boa sorte!

O uso da tortura estava tão arraigado antigamente nos costumes judiciários, que a sua extinção, por um benéfico decreto, levou muito tempo a ser cumprida. Acreditava-se que a confissão do criminoso fosse indispensável para torná-lo réu convicto; noção que não somente pecava por falta de base, mas era até contrária ao são espírito jurídico, pois se a negativa do acusado não é aceita como prova de sua inocência, tampouco se deve considerar a sua confissão como prova de culpabilidade. Mas, até hoje, ouço às vezes velhos juízes lamentarem a extinção do bárbaro costume. Todavia, no meu tempo, ninguém duvidava da necessidade da tortura: nem os juízes, nem os acusados. Por isso, a ordem do comandante não nos surpreendeu, nem causou inquietação. Ivan Ignátitch foi buscar o basquir, que estava trancado à chave no depósito de Vassilissa Egórovna, e pouco depois o prisioneiro foi trazido para o vestíbulo. O comandante ordenou que o encaminhassem à sua presença.

O basquir atravessou o umbral com dificuldade, pois trazia grilhões, e, tirando o chapéu alto, parou junto à porta. Olhei para ele e estremeci. Nunca hei de esquecer aquele homem. Parecia ter mais de setenta anos. Não tinha nariz, nem orelhas. Trazia a cabeça raspada e, em vez da barba, uns fios ralos e brancos. Era de estatura baixa, magro e encurvado. Mas os seus olhos estreitos ainda faiscavam.

— O quê! — disse o comandante, reconhecendo por aqueles terríveis sinais um dos rebeldes castigados em 1741. — Vê-se que és lobo velho e já estiveste em nossas armadilhas. Pelo visto, não é a primeira vez que te revoltas, se te rasparam tão rente a cabeça. Chega-te mais perto e dize quem te mandou.

O velho basquir permanecia calado e olhava para o comandante com um ar de alheamento completo.

— Por que ficas calado? — prosseguiu Ivan Kuzmitch. — Será que não entendes o russo, velho estúpido? Iulai, pergunta-lhe na língua de vocês quem foi que o enviou à nossa fortaleza.

Iulai repetiu em tártaro a pergunta de Ivan Kuzmitch. Mas o basquir continuou olhando para ele com a mesma expressão e não respondeu palavra.

— Bandido! — disse o comandante. — Agora vais falar. Rapazes! Tirem-lhe esse ridículo roupão listrado e costurem-lhe bem os ombros. Olha, Iulai, dá-lhe uma boa lição.

Dois inválidos começaram a despir o basquir. O rosto do infeliz expressou inquietação. Olhou para todos os lados, como um animalzinho que tivesse caído em mãos de crianças. Mas quando um dos inválidos lhe segurou os braços e, colocando-os perto do seu pescoço, ergueu o velho nas costas, e Iulai brandiu o açoite, o basquir gemeu com voz fraca e suplicante e, sacudindo a cabeça, abriu a boca, na qual, em lugar da língua, se agitava um pequeno toco de carne.

Quando me lembro de que isso aconteceu em meu tempo, e que atualmente vivo no pacífico reinado do imperador Alexandre, não posso deixar de admirar os rápidos progressos da educação e a difusão das regras de humanidade. Jovem! Se estas minhas anotações chegarem às tuas mãos, lembra-te de que as transformações mais estáveis e eficazes são aquelas que se realizam pela melhoria dos costumes, sem quaisquer comoções violentas.[31]

Ficamos estupefatos.

— Bem — disse o comandante —, ao que parece, nada podemos obter dele. Iulai, leva o basquir de volta ao depósito. E nós, senhores, ainda precisamos conversar.

Começamos a discutir a nossa situação, quando Vassilissa Egórovna entrou de repente na sala, ofegante e com ar muito alarmado.

— O que há contigo? — perguntou surpreendido o comandante.

— Paizinhos, uma desgraça! — respondeu Vassilissa Egórovna. — Nijneoziórnoe foi tomada esta manhã. Um trabalhador do padre Guerássim acaba de voltar de lá. Ele as-

---

[31] No "Manuscrito limpo" de Púchkin a frase continua: "e que não devemos apressar o passo do tempo, que sem isso já é bastante enérgico". (N. da E.)

sistiu à tomada da fortaleza. O comandante e todos os oficiais foram enforcados e os soldados, feitos prisioneiros. Agora, os bandidos virão até aqui.

A notícia inesperada me causou forte impressão. Eu conhecia o comandante da fortaleza Nijneoziórnoe, que era um homem modesto, tranquilo e ainda moço; uns meses atrás, tinha passado por Belogórskaia, vindo de Orenburg com a sua jovem esposa, e pernoitara em casa de Ivan Kuzmitch. Nijneoziórnoe ficava a umas vinte e cinco verstas de nossa fortaleza. Devíamos esperar a qualquer momento o ataque de Pugatchóv. A sorte de Maria Ivânovna apresentou-se vivamente à minha imaginação, e senti paralisar-me o coração.

— Escute, Ivan Kuzmitch — disse eu ao comandante. — É nosso dever defender a fortaleza até o último suspiro. Quanto a isso, nem pode haver dúvida. Mas é preciso pensar na segurança das mulheres. Mande-as para Orenburg, se o caminho ainda estiver livre, ou para alguma fortaleza mais afastada e segura, que os bandidos não puderem atingir.

Ivan Kuzmitch voltou-se para a esposa e disse:

— É verdade, mãezinha. Não seria melhor mandar vocês para mais longe, até que possamos dar conta dos rebeldes?

— Bobagem! — replicou ela. — Existe acaso alguma fortaleza onde não cheguem as balas? Por que Belogórskaia não é segura? Graças a Deus, estamos nela há mais de vinte e um anos. Já vimos basquires e quirguizes. Quem sabe? Talvez possamos resistir a Pugatchóv.

— Bem, mãezinha — respondeu Ivan Kuzmitch. — Fica, se tens tanta confiança em nossa fortaleza. Mas, que vamos fazer com Macha? Ainda bem se pudermos resistir, ou se chegarem reforços. E se os malfeitores tomarem a fortaleza?

— Bem, nesse caso...

— Não, Vassilissa Egórovna — prosseguiu o comandante, percebendo que as suas palavras surtiam efeito, talvez pela primeira vez na vida. — Não convém que Macha fique aqui. Mandemo-la para Orenburg, para a casa da madrinha. Lá existem tropas e canhões em número suficiente, e a muralha é de pedra. E eu te aconselho a ir também com ela. Embora sejas uma velha, pensa bem no que te pode acontecer, se tomarem a fortaleza de assalto.

— Está bem — disse ela. — Seja: vamos mandá-la embora. Mas, quanto a mim, não me peças sequer em sonho: não irei. Não há motivo para que me separe de ti depois de velha e procure uma sepultura solitária em terra estranha. Junto se vive, junto se morre.

— Vá lá — disse o comandante. — Bem, é preciso apressar-se. Vai preparar Macha para a viagem. Vamos despachá-la amanhã de madrugada e lhe daremos uma escolta, embora não nos sobrem cavalos. Mas onde está Macha?

— Em casa de Akulina Pamfílovna — respondeu Vassilissa Egórovna. — Sentiu-se mal quando ouviu a notícia de que Nijneoziórnoe foi tomada. Temo que adoeça. Senhor Todo-Poderoso, que destino o nosso!

Vassilissa Egórovna foi cuidar dos preparativos para a viagem da filha. A conversa em casa do comandante prosseguiu, mas eu não tomava mais parte nela e nada ouvia. Maria Ivânovna apareceu para o jantar, pálida e chorosa. Comemos em silêncio e levantamo-nos da mesa mais cedo que de costume. Despedimo-nos de toda a família e fomos para casa. Mas eu esqueci de propósito a minha espada e voltei para apanhá-la. Pressentia que ia encontrar Maria Ivânovna sozinha. Com efeito, ela me encontrou à porta e me entregou a espada.

— Adeus, Piotr Andrêitch! — disse-me com lágrimas nos olhos. — Estão-me mandando para Orenburg. Viva e seja feliz. Talvez Deus nos permita encontrar-nos mais uma vez; senão...

Nesse ponto, rompeu em pranto. Abracei-a.

— Adeus, meu anjo, encanto de minha vida, meu amor!

Aconteça o que acontecer comigo, podes crer que serão para ti meu último pensamento e minha última oração!

Macha soluçava, estreitada contra o meu peito. Beijei-a com ardor e saí apressadamente da sala.

## VII.
## O ASSALTO

> Minha cabeça, minha cabecinha,
> Minha cabeça de servidor!
> Tu serviste, ó cabecinha,
> Exatamente trinta e três anos.
> Mas não ganhaste com teus serviços
> Nem bem-estar, nem alegria,
> Nem elogios, nem altos postos.
> Tu só ganhaste, ó cabecinha,
> Dois grandes postes, um travessão,
> E um laço de corda.
>
> *Canção popular*

    Naquela noite não dormi nem me despi. Pretendia ir de madrugada até o portão por onde Maria Ivânovna devia passar e despedir-me dela pela última vez. Sentia em mim uma grande transformação: a agitação de meu espírito pesava muito menos que o abatimento em que até há pouco estivera imerso. A tristeza da separação misturava-se em mim com certa vaga, mas doce, esperança, com uma impaciente espera dos perigos a enfrentar e com um sentimento de nobre ambição. A noite passou imperceptivelmente. Preparava-me já para sair de casa, quando se abriu a porta de meu quarto e entrou um cabo com a notícia de que os nossos cossacos haviam deixado a fortaleza na véspera, levando à força Iulai, e que perto da fortaleza havia cavaleiros desconhecidos. O pensamento de que Maria Ivânovna teria de ficar na fortaleza me apavorou. Dei às pressas algumas instruções ao cabo e fui correndo à casa do comandante.

Amanhecia. Eu ia a toda a velocidade pela rua, quando ouvi que me chamavam. Parei.

— Aonde vai? — perguntou Ivan Ignátitch, alcançando-me. — Ivan Kuzmitch está sobre a muralha e mandou-me chamá-lo. Pugatchóv chegou.

— Maria Ivânovna partiu? — perguntei com o coração angustiado.

— Não teve tempo — respondeu Ivan Ignátitch. — O caminho para Orenburg está cortado. A fortaleza foi cercada. As coisas vão mal, Piotr Andrêitch!

Fomos para a muralha; uma elevação natural do terreno, fortificada com uma paliçada. Lá já se aglomeravam os habitantes da fortaleza. Os soldados estavam em linha com os seus fuzis. O canhão fora transportado para lá na véspera. O comandante caminhava diante de seu destacamento pouco numeroso. A proximidade do perigo infundia ao velho guerreiro um ardor extraordinário. Uns vinte homens a cavalo andavam pela estepe, a pouca distância da fortaleza. Pareciam ser cossacos, mas entre eles havia também basquires, facilmente reconhecíveis pelos seus altos chapéus de pele de lince e pelas aljavas. O comandante passou revista aos seus soldados, dizendo-lhes:

— Bem, meus filhos, lutaremos hoje pela mãezinha tsarina e mostraremos a todo o mundo que somos valentes e prezamos a palavra empenhada!

Os soldados manifestaram em altas vozes a sua fidelidade. Schwabrin estava ao meu lado e olhava fixamente para o inimigo. Os homens que andavam a cavalo pela estepe notaram o movimento na fortaleza, reuniram-se num magote e começaram a conferenciar entre si. O comandante ordenou a Ivan Ignátitch que apontasse o canhão naquela direção e ele próprio aplicou a mecha. A bala passou silvando por cima deles, sem lhes causar dano. Os cavaleiros se dispersaram a galope e a estepe ficou deserta.

Naquele momento, Vassilissa Egórovna apareceu sobre a muralha, acompanhada de Macha, que não a queria largar.

— Então? — perguntou ela. — Como vai a batalha? Onde está o inimigo?

— Não anda longe — respondeu Ivan Kuzmitch. — Com a graça de Deus, tudo irá bem. Estás com muito medo, Macha?

— Não, papaizinho — respondeu Maria Ivânovna —, aqui tenho menos medo que se ficasse sozinha em casa.

Olhou para mim e sorriu, fazendo um esforço. Involuntariamente, apertei o punho da espada, lembrando que, na véspera, a recebera das mãos dela, como se fosse para a defesa de minha amada. O meu coração se abrasava. Imaginava-me seu paladino, e ansiava por demonstrar que era digno de sua confiança. Com grande impaciência, comecei a esperar o momento decisivo.

Naquele momento, novas massas de gente a cavalo apareceram detrás de uma elevação a meia versta da fortaleza, e em pouco tempo a estepe se cobriu de uma infinidade de homens armados de lanças e flechas. Entre eles, montado num cavalo branco, ia um homem de caftan vermelho com um sabre desembainhado na mão: era o próprio Pugatchóv. Deteve-se. Os demais o rodearam e, aparentemente por ordem sua, quatro homens se destacaram da multidão e galoparam até a própria fortaleza. Reconhecemos neles os nossos traidores. Um deles segurava por cima do chapéu uma folha de papel. Outro trazia espetada numa lança a cabeça de Iulai, que ele atirou, por cima da paliçada, em nossa direção. A cabeça do pobre calmuco caiu aos pés do comandante. Os traidores gritavam:

— Não atirem! Venham à presença do tsar. O tsar está aqui!

— Vão ver agora! — gritou Ivan Kuzmitch. — Rapazes, fogo!

Os nossos soldados fizeram uma descarga. O cossaco que trazia a mensagem cambaleou e caiu do cavalo. Os demais voltaram para trás. Olhei para Maria Ivânovna. Horrorizada com a visão da cabeça ensanguentada de Iulai e atordoada pela descarga, parecia ter perdido os sentidos. O comandante chamou um cabo e mandou apanhar a folha de papel das mãos do cossaco morto. O cabo saiu para o campo, trazendo pelas rédeas o cavalo do cossaco. Entregou a carta ao comandante. Ivan Kuzmitch leu-a para si e a rasgou em pedacinhos. Nesse ínterim, os rebeldes se preparavam evidentemente para a ação. Dentro em pouco, as balas começaram a zunir aos nossos ouvidos e algumas flechas se cravaram ao nosso lado, no solo e na paliçada.

— Vassilissa Egórovna! — disse o comandante. — Isso aqui não é para mulheres. Leva embora Macha. Vês? A menina está mais morta que viva.

Vassilissa Egórovna, que perdera a animação ao ouvir os tiros, olhou para a estepe, onde era evidente um grande movimento. Depois, dirigiu-se ao marido e disse:

— Ivan Kuzmitch, o Senhor é quem dispõe da vida e da morte. Abençoa a menina. Macha, aproxima-te de teu pai.

Pálida e trêmula, Macha se acercou de Ivan Kuzmitch, ajoelhou-se e tocou o solo com a fronte. O velho comandante fez sobre ela três vezes o sinal da cruz. Beijou-a e disse com voz alterada:

— Bem, Macha, sê feliz. Reza a Deus, e Ele não te abandonará. Se encontrares um homem de bem, que o Senhor lhes dê amor e juízo. Vivam tão bem como vivemos eu e Vassilissa Egórovna. Bem, adeus, Macha. Vassilissa Egórovna, leva-a o quanto antes daqui.

Macha atirou-se soluçando ao seu pescoço.

— Beijemo-nos também — disse chorando a mulher do comandante. — Adeus, meu caro Ivan Kuzmitch. Perdoa-me, se em algo te aborreci!

— Adeus, adeus, mãezinha! — disse o comandante, abraçando a sua velha. — Bem, chega! Vão para casa e, se tiveres tempo, faze Macha vestir um *sarafan*.[32]

Vassilissa Egórovna e a filha se afastaram. Fiquei olhando na direção de Maria Ivânovna. Ela se voltou e me fez um gesto com a cabeça. Naquele momento, Ivan Kuzmitch se voltou para nós, e toda a sua atenção se concentrou no inimigo. Os rebeldes se reuniam junto ao seu chefe e, de repente, começaram a descer dos cavalos.

— Agora se mantenham firmes — disse o comandante —, vamos ter um assalto...

Naquele momento, ouviram-se gritos e guinchos terríveis. Os rebeldes corriam a toda a velocidade para a fortaleza. O nosso canhão estava carregado de metralha. O comandante deixou que chegassem bem perto e, de repente, atirou mais uma vez. A metralha atingiu o próprio centro da multidão. Os rebeldes correram para um e outro lado e recuaram. O chefe permaneceu sozinho na frente. Brandia a espada e, ao que parece, procurava convencê-los com ardor... Os gritos e guinchos, que haviam cessado por alguns instantes, recomeçaram.

— Bem, rapazes — disse o comandante. — Agora abram o portão e toquem o tambor. Rapazes! Para a frente, ao ataque, sigam-me!

O comandante, Ivan Ignátitch e eu num instante nos encontramos fora da muralha da fortaleza. Mas a guarnição, atemorizada, não se moveu.

— Que é isso, meus filhos, por que ficam aí? — gritou Ivan Kuzmitch. — Se é para morrer, morramos. Faz parte do serviço!

Naquele momento, os rebeldes nos alcançaram e penetraram na fortaleza. Calou-se o tambor. A guarnição jogou

---

[32] Vestido comprido sem mangas, que se usa com uma blusa de mangas largas. (N. do T.)

fora os fuzis. Fui derrubado, porém me levantei e entrei na fortaleza junto com os rebeldes. O comandante, ferido na cabeça, estava rodeado por um grupo de bandidos, que lhe exigiam as chaves. Atirei-me em seu auxílio, mas alguns fortes cossacos me seguraram e me amarraram com cinturões, dizendo:

— Vão pagar caro a desobediência ao tsar!

Fomos arrastados pelas ruas. Os habitantes saíam das casas, trazendo pão e sal.[33] Sinos bimbalhavam. De repente, gritaram no meio da multidão que o tsar estava na praça, à espera dos prisioneiros, aceitando juramentos de fidelidade. O povo correu para a praça e fomos também empurrados para lá.

Pugatchóv estava sentado numa poltrona, à entrada da casa do comandante. Vestia um bonito caftan vermelho de cossaco, coberto de galões. Trazia inclinado sobre os olhos faiscantes um chapéu alto de pele de marta, com pendentes dourados. O seu rosto me pareceu conhecido. Estava rodeado de chefes cossacos. O padre Guerássim, pálido e trêmulo, permanecia parado à porta da casa com um crucifixo nas mãos e parecia suplicar mudamente perdão para as vítimas. Na praça, armavam apressadamente uma forca. Quando nos aproximamos, os basquires dispersaram o povo e nos levaram à presença de Pugatchóv. Cessou o bimbalhar dos sinos e reinou profundo silêncio.

— Quem é o comandante? — perguntou o usurpador.

O nosso sargento saiu do meio da multidão e indicou Ivan Kuzmitch. Pugatchóv olhou severamente para o velho e perguntou:

— Como ousaste opor-te a mim, que sou teu tsar?

O comandante, esvaindo-se da ferida, reuniu as últimas forças e respondeu com voz firme:

---

[33] Símbolos de hospitalidade. (N. do T.)

— Tu não és tsar para mim, és um ladrão e usurpador, estás ouvindo?

O rosto de Pugatchóv adquiriu uma expressão sombria, e ele fez um sinal com o seu lenço branco. Alguns cossacos seguraram o velho capitão e arrastaram-no para a forca. O basquir mutilado, que havíamos interrogado na véspera, subiu a cavalo sobre o travessão. Segurava a corda na mão e, instantes depois, vi o pobre Ivan Kuzmitch suspenso no ar. Em seguida, levaram Ivan Ignátitch à presença de Pugatchóv.

— Presta juramento — disse-lhe Pugatchóv — ao tsar Piotr Fiódorovitch!

— Não és nosso tsar — respondeu Ivan Ignátitch, repetindo as palavras de seu capitão. — Tu, meu velho, és ladrão e usurpador!

Pugatchóv fez mais um gesto com o lenço, e o bom tenente ficou suspenso ao lado de seu velho comandante.

Seguiu-se a minha vez. Eu olhava corajosamente para Pugatchóv, preparando-me para repetir a resposta de meus valorosos companheiros. Naquele momento, para indescritível surpresa minha, vi Schwabrin entre os chefes rebeldes, de cabeça raspada em círculo e vestindo traje cossaco. Acercou-se de Pugatchóv e murmurou-lhe algumas palavras ao ouvido.

— Enforquem-no — disse Pugatchóv, sem olhar sequer para mim.

Jogaram-me um laço no pescoço. Comecei a recitar mentalmente uma oração, trazendo a Deus um arrependimento sincero de todos os meus pecados e implorando-lhe a salvação de todos os que me eram queridos. Arrastaram-me à forca.

— Não tenhas medo, não tenhas medo — repetiam os meus carrascos, talvez desejando realmente me infundir ânimo! De repente, ouvi um grito:

— Esperem, malditos, esperem!...

Os carrascos se imobilizaram. Olhei e vi Savélitch deitado aos pés de Pugatchóv.

— Nosso pai! — dizia o pobre preceptor. — Para que precisas da morte do menino fidalgo? Deixa-o em liberdade, e vais receber um resgate. Mas, se precisas de algo para servir de exemplo e impor terror, manda enforcar este pobre velho.

Pugatchóv fez um sinal, e eu fui desamarrado e deixado livre.

— Nosso paizinho te perdoa — disseram-me.

Não posso dizer que naquele instante alegrei-me com a minha salvação, mas tampouco direi que o lamentei. Os meus sentimentos eram demasiadamente confusos. Levaram-me novamente à presença do usurpador e fizeram com que me ajoelhasse. Pugatchóv estendeu para mim a sua mão de veias intumescidas.

— Beija-lhe a mão, beija-lhe a mão! — diziam ao meu lado.

Mas eu preferia a morte mais cruel àquela torpe humilhação.

— Paizinho Piotr Andrêitch! — murmurava Savélitch, parado atrás de mim e empurrando-me. — Não sejas teimoso! O que te custa? Cospe, mas beija a mão do malfeit... (irra!) beija-lhe a mãozinha.

Eu não me movia. Pugatchóv deixou cair a mão e disse com um risinho:

— Sua Nobreza, provavelmente, ficou bobo de alegria. Levantem-no!

Ergueram-me e deixaram-me em liberdade. Fiquei olhando a continuação da terrível comédia.

Os habitantes começaram a prestar juramento. Chegavam um após outro, beijavam o crucifixo e depois faziam uma mesura ao usurpador. Os soldados da guarnição estavam formados ali mesmo. O alfaiate da guarnição, armado com as suas tesouras mal afiadas, cortava-lhes as tranças. Eles se sacudiam e aproximavam-se da mão de Pugatchóv, que os declarava perdoados e aceitava-os em seu bando. Tudo isso durou perto de três horas. Finalmente, Pugatchóv se ergueu da poltrona e afastou-se da porta da casa, acompanhado pelo seu estado-maior. Trouxeram-lhe um cavalo branco ricamente ajaezado. Dois cossacos o ajudaram a montar, segurando-o debaixo dos braços. Ele declarou ao padre Guerássim que almoçaria em sua casa. Naquele momento, ouviu-se um grito de mulher. Alguns bandidos arrastaram Vassilissa Egórovna, despenteada e completamente despida, para a frente da casa. Um deles já vestira o seu casaco. Outros traziam os colchões de penas, os baús, os serviços de chá, a roupa e toda a tralha caseira.

— Paizinho! — gritava a pobre velha. — Deixem-me morrer em paz, levem-me para junto de Ivan Kuzmitch.

De repente, olhou para a forca e reconheceu o marido.

— Malfeitores! — gritou enlouquecida. — O que fizeram com ele? Ivan Kuzmitch, luz de meus olhos, minha valente cabecinha de soldado! Não te atingiram baionetas prussianas, nem balas turcas. Não pereceste em luta honrosa, mas às mãos de um presidiário evadido!

— Façam calar a velha bruxa! — disse Pugatchóv.

Um jovem cossaco bateu-lhe com o sabre na cabeça e ela caiu morta sobre os degraus, diante da casa. Pugatchóv partiu. O povo correu para acompanhá-lo.

## VIII.
## O HÓSPEDE NÃO CONVIDADO

O hóspede não convidado é pior que um tártaro.

Provérbio

A praça ficou vazia. Permaneci parado no mesmo lugar, sem poder pôr em ordem os pensamentos, transtornados por tão terríveis impressões.

O que mais me atormentava era não saber a sorte de Maria Ivânovna. Onde estava ela? Que lhe tinha acontecido? Teve ela tempo de escapar? Seria seguro o seu refúgio?... Cheio de inquietação, entrei em casa do comandante... Estava tudo vazio. As cadeiras, as mesas, os baús quebrados; a louça feita em cacos; tudo pilhado. Subi correndo a escadinha e, pela primeira vez, entrei no quarto de Maria Ivânovna.

Vi o seu leito revolvido pelos bandidos. O guarda-roupa estava quebrado e saqueado. Uma lâmpada ardia ainda diante do oratório esvaziado. Ficara inteiro também o espelhinho, pendurado na parede. Onde estava a dona daquela humilde cela virginal? Um pensamento terrível perpassou-me a mente: imaginei-a nas mãos dos bandidos... Senti oprimir-se-me o coração... Chorei amargamente e pronunciei alto o nome de minha amada... Naquele momento se ouviu um leve ruído, e Palachka surgiu detrás do guarda-roupa, trêmula e empalidecida.

— Ah, Piotr Andrêitch! — disse ela, torcendo as mãos. — Que dia! Que susto!...

— E Maria Ivânovna? — perguntei com impaciência. — O que há com ela?

— A senhorita está viva — respondeu Palachka. — Escondeu-se em casa de Akulina Pamfílovna.

— Em casa do padre! — gritei horrorizado. — Meu Deus! Pugatchóv está lá!...

Lancei-me fora do quarto, num instante me achei na rua e corri para a casa do sacerdote, sem ver nem sentir coisa alguma. Lá ressoavam gritos, gargalhadas, canções... Pugatchóv estava em festim com os companheiros. Palachka acudiu também em seguida a mim. Mandei-a chamar furtivamente Akulina Pamfílovna. Pouco depois, a mulher do padre veio ao meu encontro no vestíbulo, trazendo na mão uma garrafa vazia.

— Pelo amor de Deus! Onde está Maria Ivânovna? — perguntei com indescritível ansiedade.

— A pobrezinha está deitada na minha cama, atrás do tabique — respondeu ela. — Ah, Piotr Andrêitch, quase aconteceu uma desgraça, mas, graças a Deus, tudo acabou bem. O malfeitor acabava de sentar-se para almoçar, quando a pobrezinha voltou a si e começou a gemer!... Quase desfaleci. Ele ouviu e me perguntou: "Quem é que está gemendo aí, velha?". Fiz uma reverência ao ladrão e respondi: "É a minha sobrinha, senhor, que ficou doente e está acamada há mais de uma semana". "E é moça a tua sobrinha?" "Sim, meu senhor." "Mostra-me a tua sobrinha, velha." Confrangeu-se-me o coração, mas não havia remédio. "Pois não, meu senhor. Mas a moça não pode erguer-se e vir à presença de tua mercê." "Não faz mal, velha, eu mesmo irei vê-la." E que pensas? O maldito foi mesmo olhar atrás do tabique. Puxou o reposteiro, olhou para ela com os seus olhos de abutre, e nada... Deus a protegeu! Sabes? Eu e o meu marido já estávamos preparados para morrer como mártires. Felizmente, a coitada não o reconheceu. Deus do Céu! Que dia! Pobre Ivan Kuzmitch! Quem havia de dizer!... E Vassilissa Egórovna? E

Ivan Ignátitch? O que foi que ele fez?... Não sei como pouparam o senhor. E que tal o Schwabrin? Raspou a cabeça em círculo e agora está com eles no festim, aqui em casa! Muito esperto, não resta dúvida! Quando falei da sobrinha doente, olhou para mim como se me atravessasse com um punhal. Todavia, não revelou coisa alguma, e isso ao menos devemos agradecer-lhe.

Naquele momento, ouviram-se os gritos bêbedos dos hóspedes e a voz do padre Guerássim. Os hóspedes exigiam vinho, o dono da casa chamava a companheira. A mulher do padre ficou agitada.

— Vá para casa, Piotr Andrêitch — disse ela. — Agora não posso ocupar-me do senhor. Os malfeitores estão numa bebedeira, e seria fácil acontecer uma desgraça. Adeus, Piotr Andrêitch. O que tem de ser, será. Talvez Deus não nos abandone!

Afastou-se. Fui para casa um pouco tranquilo. Passando pela praça, vi alguns basquires que se aglomeravam junto à forca e tiravam as botas dos enforcados. Sentindo a inutilidade de minha interferência, contive com dificuldade um impulso de indignação. Os bandidos corriam pela fortaleza, saqueando as casas dos oficiais. Por toda parte ressoavam gritos de rebeldes embriagados. Quando cheguei em casa, fui recebido por Savélitch na entrada.

— Graças a Deus! — exclamou ele, apenas me viu. — Pensei que os malfeitores te houvessem apanhado mais uma vez. Ah, paizinho Piotr Andrêitch! Acreditas? Os patifes nos pilharam tudo: roupa, objetos caseiros, louça, não deixaram nada. Mas Deus seja louvado porque te pouparam a vida. Reconheceste o chefe deles, patrão?

— Não, não o reconheci. Mas quem era?

— Como, paizinho? Esqueceste o bêbedo que te surripiou o casaco naquela pousada? O casaco de pele de lebre era quase novo. E o animal o estragou todo, quando o vestia!

Fiquei estupefato. Com efeito, a semelhança de Pugatchóv com o meu guia era surpreendente. Ao me convencer de que Pugatchóv e ele eram a mesma pessoa, compreendi os motivos do perdão com que fui contemplado. Não pude deixar de admirar o estranho encadeamento de circunstâncias: o casaquinho de criança dado a um vagabundo livrava-me da forca, e o bêbedo que vagabundeara pelas casas de pouso estava sitiando fortalezas e punha em comoção o Estado!

— Não vais comer? — perguntou Savélitch, imperturbável em seus hábitos. — Em casa não temos nada. Mas vou procurar alguma coisa para te preparar.

Ficando sozinho, mergulhei em meus pensamentos. Que fazer? Permanecer na fortaleza dominada pelo bandido ou seguir o seu bando era comportamento indigno de um oficial. O dever exigia que me apresentasse onde os meus serviços pudessem ser úteis, naquelas difíceis circunstâncias... Mas o amor me aconselhava com insistência a ficar junto de Maria Ivânovna, para servir-lhe de protetor e defensor. Embora pressentisse para breve uma indiscutível mudança do estado de coisas, não podia deixar de estremecer ao pensar nos perigos de sua situação.

Os meus pensamentos foram interrompidos pela chegada de um dos cossacos, que veio correndo dizer-me que "o grande tsar exige tua presença".

— Onde está ele? — perguntei, preparando-me para obedecer.

— Na casa do comandante — respondeu o cossaco. — Depois do almoço, o nosso paizinho foi para os banhos, e agora está descansando. Bem, Vossa Nobreza, por tudo se vê que ele é pessoa importante. No almoço comeu dois leitões assados, e nos banhos a vapor usa temperatura tão alta que Tarás Kúrotchkin não pôde resistir, passou o *venik*[34] a Fomka Bikbáiev e a muito custo se refez com água fria. Sim, tem ma-

---

[34] Espécie de vassourão feito de raminhos de azinheira, usado nos

neiras muito importantes... Dizem que nos banhos mostrou as medalhas de tsar que traz ao pescoço; numa delas, há uma águia de duas cabeças, do tamanho de uma moeda de cinco copeques, e na outra o seu próprio retrato.

Não julguei necessário discutir as opiniões do cossaco e o acompanhei à casa do comandante, imaginando de antemão a entrevista com Pugatchóv e procurando adivinhar qual seria o seu desfecho. O leitor compreenderá facilmente que eu não estava completamente calmo.

Começava a escurecer quando cheguei à casa do comandante. A forca com suas vítimas negrejava sinistramente. O corpo de Vassilissa Egórovna ainda estava jogado à entrada da casa, onde havia também dois cossacos de sentinela. O cossaco que me acompanhara foi comunicar a minha chegada e, voltando imediatamente, me introduziu naquela mesma sala em que, na véspera, eu me despedira tão enternecidamente de Maria Ivânovna.

Aos meus olhos se apresentou um quadro inaudito. Em volta da mesa, coberta com uma toalha e cheia de copos e garrafas, estavam sentados Pugatchóv e uns dez chefes cossacos, de chapéu e camisa colorida, todos inflamados pelo vinho, de caraças vermelhas e olhos faiscantes. Entre eles não se achavam os traidores recentes: Schwabrin e o nosso sargento.

— Olá, Vossa Nobreza! — disse Pugatchóv ao me ver. — Sê bem-vindo e toma um lugar.

Os convivas se apertaram entre si. Sentei-me calado à ponta da mesa. O meu vizinho, um jovem cossaco, esbelto e bonito, encheu-me um copo de vinho que eu nem provei. Fiquei examinando curiosamente a reunião. Pugatchóv estava sentado à cabeceira, debruçado sobre a mesa e apoiando o seu largo punho de encontro à barba negra. Os traços de seu

---

banhos russos e que se passa no corpo, enquanto se fica exposto ao vapor. (N. do T.)

rosto, regulares e bastante agradáveis, não denotavam ferocidade. Dirigia-se com frequência a um homem de uns cinquenta anos, chamando-o ora de conde, ora de Timofeitch e tratando-o de quando em vez de titio. Todos se tratavam como companheiros e não manifestavam nenhuma preferência especial pelo chefe. Falavam do assalto daquela manhã, do êxito da rebelião e das ações futuras. Cada um se vangloriava, expunha a sua opinião e discutia livremente com Pugatchóv. E foi nesse estranho conselho de guerra que se resolveu avançar sobre Orenburg: ação atrevida e que por pouco não se coroou por um êxito que seria terrível! O início da marcha foi marcado para o dia seguinte.

— Bem, meus velhos — disse Pugatchóv —, entoemos antes de dormir a minha canção predileta. Começa, Tchumakov![35]

>Não farfalhes, minha mãe floresta,
>Não perturbes os meus pensamentos,
>Pois amanhã serei interrogado
>Por um juiz severo, pelo próprio tsar.
>O tsar vai perguntar:
>Dize, ó menino, filho de camponês,
>Com quem roubaste e foste salteador,
>E se tens muitos companheiros.
>Eu te direi, esperança nossa, tsar ortodoxo,
>Eu te direi toda a verdade:
>Tive quatro companheiros;
>O primeiro era a noite escura,
>O segundo, meu punhal de aço,
>O terceiro, o meu bom cavalo,

---

[35] Fiódor Tchumakov (1729-1786) foi um dos cossacos que depois traiu Pugatchóv em troca do perdão do governo russo; em sua *História de Pugatchóv*, Púchkin lista-o como um dos líderes do exército dos insurgentes. (N. da E.)

O quarto, o meu arco retesado,
E eram meus mensageiros as flechas inflamadas.
E então dirá o tsar ortodoxo, esperança nossa:
Saúdo-te, menino, filho de camponês,
Soubeste roubar,
Mas também soubeste responder pelas ações!
E, por isso, eu te dou em prêmio, ó menino,
Dois altos castelos no campo:
Dois postes mais um travessão.

    É impossível contar que impressão me causou esta canção popular sobre a forca, cantada por homens a ela destinados. Os seus rostos severos, as vozes robustas, a expressão triste que acrescentavam às palavras, já por si tão expressivas — tudo me abalava com não sei que terror poético.

    Os convivas beberam mais um copo, ergueram-se da mesa e despediram-se de Pugatchóv. Quis segui-los, mas Pugatchóv me disse:

— Fica sentado. Quero conversar contigo.

    Ficamos a sós. Durou alguns instantes o nosso silêncio mútuo. Pugatchóv me olhava fixamente, cerrando de quando em quando o olho esquerdo, com uma expressão surpreendente de velhacaria e sarcasmo. Finalmente, começou a rir, com uma alegria tão sincera que, olhando para ele, pus-me também a rir, sem saber por quê.

— Então, Vossa Nobreza? — disse-me ele. — Ficaste assustado, confessa, quando os meus rapazes te jogaram a corda ao pescoço. Viste as coisas pretas, hein?... Estarias agora balançando na corda, se não fosse o teu criado. Reconheci imediatamente o velho salafrário. Podias tu pensar, Vossa Nobreza, que o homem que te mostrou o caminho fosse o próprio grande tsar? (Assumiu um ar misterioso e importante.) És muito culpado perante mim — prosseguiu ele —, mas eu te perdoei pela tua boa ação e porque me prestaste um serviço quando eu tinha que me esconder dos meus inimigos. Ainda hás de ver muito mais! Far-te-ei outros benefícios, quando receber o meu reino! Prometes servir-me com devoção?[36]

A pergunta do patife e o seu atrevimento me pareceram tão divertidos, que não pude deixar de sorrir.

— Por que sorris? — perguntou ele franzindo o sobrecenho. — Não acreditas acaso que eu seja o grande tsar? Responde com franqueza.

Fiquei confuso. Não era capaz de reconhecer o vagabundo como tsar, pois isso me parecia uma fraqueza imperdoável. Mas chamá-lo de impostor, frente a frente, seria expor-me à morte, e aquilo que eu estava pronto a fazer diante da forca, aos olhos de todo o povo e no primeiro ardor da indignação, parecia-me agora uma jactância inútil. Vacilei. Pugatchóv esperava com expressão sombria a minha resposta. Finalmente (e até hoje recordo com certa vaidade aquele momento) o sentimento do dever triunfou em mim sobre a fraqueza humana. Respondi a Pugatchóv:

— Escuta, vou dizer-te toda a verdade. Julga sozinho se posso reconhecer-te como tsar. És um homem inteligente, e tu mesmo verias o meu fingimento.

— Quem sou então, na tua opinião?

— Deus sabe quem és. Mas, sejas quem fores, estás fazendo um jogo perigoso.

Pugatchóv me lançou um olhar rápido.

— Quer dizer que não acreditas — disse ele — que eu sou o tsar Piotr Fiódorovitch? Está bem. Mas o valente não tem o seu prêmio? Grichka Otrépiev[37] não chegou a reinar

---

[36] No "Manuscrito limpo", na última frase lê-se: "Põe-te a meu serviço, e eu te concederei o título de príncipe Potiômkin. Prometes servir-me com devoção, a mim, teu soberano?". O príncipe Grigori Potiômkin (1739-1791) foi um líder militar de destaque e um dos favoritos de Catarina II. (N. da E.)

[37] Grigori Otrépiev (1581-1606), impostor que ocupou o trono de

outrora? Pensa de mim o que quiseres, mas não te separes de mim. Que te importa o resto? Serve-me com fidelidade, e farei de ti marechal e príncipe, um novo Potiômkin.[38] Que te parece?

— Não — respondi com firmeza. — Sou fidalgo de nascimento e jurei fidelidade à imperatriz: não posso colocar-me a teu serviço. Se realmente me queres bem, deixa-me ir para Orenburg.

Pugatchóv ficou pensativo.

— E se eu concordar — perguntou ele —, prometes, ao menos, não tomar armas contra mim?

— Como poderia prometer-te isso? — repliquei. — Sabes muito bem que não depende de mim: se me mandarem lutar contra ti, irei. Que remédio? Tu mesmo és chefe agora e exiges obediência dos subordinados. Como poderia recusar-me a prestar serviços exatamente no momento em que se tornassem necessários? Minha cabeça está em tuas mãos: se me deixas partir, obrigado; se me condenas à morte, Deus é teu juiz. Mas eu te disse a verdade.

A minha sinceridade impressionou Pugatchóv.

— Seja! — disse, batendo-me no ombro. — Grande no castigo, grande no perdão. Podes partir para onde queiras e fazer o que bem entendas. Amanhã, vem despedir-te de mim, e agora vai dormir, que eu também já estou com sono.

Deixei Pugatchóv e saí para a rua. A noite era plácida e gelada. A Lua e as estrelas brilhavam intensamente, iluminando a praça e a forca. A treva e a quietude reinavam na fortaleza. Somente no botequim ainda havia luzes e ressoavam gritos de notívagos retardatários.

Olhei para a casa do padre. O portão e as venezianas estavam fechados. Dentro, parecia estar tudo em silêncio.

---

Moscou de junho de 1605 a maio de 1606, passando-se por Dmitri, filho recém-falecido do tsar Ivã, o Terrível. (N. da E.)

[38] O marechal de campo mencionado na nota 36. (N. da E.)

Cheguei em casa e encontrei Savélitch acabrunhado com a minha ausência. A notícia de minha liberdade causou-lhe uma alegria indescritível.

— Deus seja louvado! — disse, persignando-se. — Vamos deixar a fortaleza logo que amanhecer e fugir a toda a velocidade. Preparei alguma coisa para ti. Come, paizinho, e dorme tranquilo até amanhã.

Segui o seu conselho e, depois de jantar com muito apetite, adormeci sobre as tábuas do soalho, extenuado de corpo e espírito.

## IX.
## A DESPEDIDA

> Que doçura conhecer-te,
> Minha linda! E que tristeza,
>
> Que tristeza a despedida,
> Triste como o adeus à alma!
>
> Kheráskov[39]

De manhã cedo, fui acordado pelo rufar do tambor. Dirigi-me ao ponto de reunião. Lá já se estavam formando as forças de Pugatchóv, ao redor da forca, da qual pendiam ainda as vítimas da véspera. Os cossacos estavam a cavalo, os soldados enfileirados com os seus fuzis. Bandeiras tremulavam. Alguns canhões, entre os quais reconheci o nosso, tinham sido colocados sobre carretas de campanha. Todos os habitantes também estavam ali, à espera do usurpador. À porta da casa do comandante, um cossaco segurava pela rédea um soberbo cavalo branco de raça quirguiz. Procurei com os olhos o corpo de Vassilissa Egórovna. Tinha sido carregada para um canto e coberta com um pano de lona. Finalmente, Pugatchóv apareceu. O povo tirou os chapéus. Pugatchóv parou à entrada da casa e saudou a todos. Um dos chefes lhe passou um saco de moedas de cobre, e ele começou a espalhá-las aos punhados em volta de si. O povo se atirou a elas aos gritos, e houve gente machucada. Pugatchóv foi rodeado pelos sequazes mais importantes. Entre eles, estava Schwabrin. Os nossos olhares se encontraram. Ele podia ler

---

[39] Mikhail Kheráskov (1733-1807), poeta russo. (N. da E.)

o desprezo expresso no meu, mas voltou o rosto com uma expressão de rancor verdadeiro e fingindo sarcasmo. Pugatchóv me reconheceu no meio da multidão, fez um gesto com a cabeça e chamou-me para perto de si.

— Escuta — disse-me ele —, vai imediatamente para Orenburg e declara em meu nome ao governador e a todos os generais que me esperem lá daqui a uma semana. Aconselha-os a receber-me com amor filial e submissão, senão os espera morte cruel. Boa viagem, Vossa Nobreza!

Dirigiu-se em seguida ao povo e disse, apontando para Schwabrin:

— Eis, meus filhos, o novo comandante de vocês. Obedeçam-lhe em tudo, pois ele me responderá por vocês e pela fortaleza.

Ouvi aterrorizado aquelas palavras: Schwabrin se tornava comandante da fortaleza; Maria Ivânovna ficava sob o seu poder! Meu Deus, o que seria dela? Pugatchóv desceu os degraus diante da casa. Trouxeram-lhe o cavalo. Pulou com agilidade para a sela, sem esperar os cossacos que iam ajudá-lo.

De repente, vi que Savélitch saiu do meio da multidão, aproximou-se de Pugatchóv e entregou-lhe uma folha de papel. Não pude compreender de que se tratava.

— Que é isso? — perguntou Pugatchóv com ar importante.

— Digna-te lê-lo e verás.

Pugatchóv recebeu o papel e passou muito tempo a examiná-lo com ar significativo.

— Por que escreves com letra tão difícil? — disse finalmente. — Os meus nobres olhos não conseguem decifrar nada. Onde está o meu secretário-mor?

Um jovem com insígnias de cabo correu depressa para junto de Pugatchóv.

— Lê em voz alta — disse o usurpador, entregando-lhe o papel.

Eu estava muito curioso por saber o que teria inventado de escrever a Pugatchóv o meu preceptor. O secretário-mor começou a soletrar com voz forte o seguinte:

"Dois roupões, sendo um de algodão e outro de seda listrada — seis rublos."

— Que significa isso? — perguntou Pugatchóv com expressão sombria.

— Manda ler mais — respondeu calmamente Savélitch.

O secretário-mor prosseguiu:

"Um uniforme de fazenda verde fina — sete rublos.

"Um par de calças brancas — cinco rublos.

"Doze camisas de linho holandês com punhos — dez rublos.

"Uma caixa com apetrechos para chá — dois rublos e meio..."

— Que bobagens são essas? — interrompeu-o Pugatchóv. — O que tenho eu a ver com estojos para chá e calças com bainhas de linho?

Savélitch fungou e começou a explicar:

— Isso, paizinho, é a relação das coisas de meu senhor roubadas pelos malfeitores...

— Que malfeitores? — perguntou severamente Pugatchóv.

— Perdão, deixei escapar... — respondeu Savélitch. — Não se trata de malfeitores, mas os teus rapazes andaram saqueando tudo. Não te zangues: o cavalo tem quatro patas e também tropeça. Manda ler até o fim.

— Lê — disse Pugatchóv.

O secretário prosseguiu:

"Um cobertor de chita e outro de tafetá, com forro algodoado — quatro rublos.

"Uma peliça de raposa, com gola vermelha — quarenta rublos.

"Um casaco de lebre, dado a tua mercê na casa de pouso — quinze rublos."

— O que diz! — exclamou Pugatchóv, com os olhos cintilantes.

Confesso que me assustei pela sorte de meu pobre preceptor. Ele tentou novas explicações, mas Pugatchóv interrompeu-o:

— Como te atreves a procurar-me com tais insignificâncias! — gritou ele, arrancando o papel das mãos do secretário e jogando-o ao rosto de Savélitch. — Velho estúpido! Foram roubados: grande desgraça! Mas tu deves, velho salafrário, rezar a vida inteira por mim e pelos meus rapazes, por não estares agora, juntamente com teu amo, pendendo desta forca, ao lado dos que me desobedeceram... Um casaco de lebre! Eu te darei um casaco! Sabes que eu vou mandar arrancar-te o couro para fazer casacos?

— Como queiras — respondeu Savélitch —, mas eu sou homem de serviço, e devo responder pelos bens de meu amo.

Pugatchóv estava evidentemente em um acesso de generosidade. Voltou o rosto e saiu dali, sem proferir palavra. Schwabrin e os chefes cossacos o seguiram. O bando partiu da fortaleza em ordem. O povo saiu para acompanhar Pugatchóv. Savélitch e eu ficamos sozinhos na praça. O meu preceptor segurava nas mãos o seu rol, examinando-o com uma expressão de profunda tristeza.

Tendo visto as minhas boas relações com Pugatchóv quisera aproveitá-las. Mas o seu propósito sutil não surtiu efeito. Pus-me a censurá-lo pelo seu zelo inoportuno, e não pude conter o riso.

— Ri, senhor — respondeu Savélitch. — Ri, mas, quando tivermos que adquirir de novo todos os objetos caseiros, veremos se será engraçado.

Eu tinha pressa de ir à casa do padre para me avistar com Maria Ivânovna. A mulher do sacerdote me recebeu com uma triste notícia. De noite, Maria Ivânovna fora atacada de febre alta e estava delirante. Akulina Pamfílovna me fez entrar no quarto dela. Aproximei-me do leito sem fazer ruído.

Surpreendeu-me a transformação ocorrida no rosto da enferma. Ela não me reconheceu, e passei muito tempo parado ali, sem ouvir o que me diziam o padre Guerássim e a sua boa esposa, os quais, ao que parece, me consolavam. Estava agitado por pensamentos sombrios. Assustavam-me o estado da pobre e indefesa órfã, abandonada entre os insurretos cruéis, e a minha própria incapacidade de socorrê-la. Mas Schwabrin, sobretudo, torturava a minha imaginação. Com a autoridade que lhe tinha concedido o usurpador, e como chefe da fortaleza em que ficara a pobre moça — objeto inocente de seu ódio —, ele podia decidir-se a tudo. Que me restava fazer? Como ajudá-la? Como livrá-la das mãos do malfeitor? Só restava um meio: resolvi partir imediatamente para Orenburg, a fim de apressar aqueles de quem dependia a libertação da fortaleza Belogórskaia e, na medida do possível, contribuir para tal acontecimento. Despedi-me do padre e de Akulina Pamfílovna, confiando-lhes com ardor aquela que eu já considerava minha esposa. Tomei a mão da pobre moça e beijei-a, inundando-a de lágrimas.

— Adeus — disse Akulina Pamfílovna, acompanhando-me à porta —, adeus, Piotr Andrêitch. Talvez nos vejamos ainda em tempos melhores. Não nos esqueça e escreva-nos com frequência. A pobre Maria Ivânovna agora não tem ninguém que a proteja e console, a não ser o senhor.

Saindo para a praça, parei por um instante, olhei para a forca, inclinei-me diante dela, saí da fortaleza e caminhei pela estrada de Orenburg, acompanhado de Savélitch, que não se separava de mim.

Ia ocupado com os meus pensamentos, quando ouvi atrás de mim o galopar de um cavalo. Voltei a cabeça e vi que um cossaco vinha da fortaleza, segurando pela rédea um cavalo basquir e fazendo-me sinais de longe. Parei e logo reconheci o nosso sargento, que se aproximou de nós, desceu do cavalo e disse, dando-me as rédeas do outro animal:

— Vossa Nobreza! O nosso pai dá-lhe de presente este

cavalo e uma peliça tirada de seus próprios ombros (trazia amarrado à sela um casaco de carneiro). E ainda — acrescentou hesitante o sargento — lhe manda de presente... meio rublo... mas eu o perdi pelo caminho: perdoe generosamente.

Savélitch olhou para ele de viés e resmungou:

— Perdeste-o pelo caminho! E o que é que está tinindo sobre o teu peito? Sem-vergonha!

— O que está tinindo sobre o meu peito? — replicou o sargento, sem se perturbar. — Que Deus te perdoe, velhinho! Está tinindo o metal dos jaezes e não o meio rublo.

— Está bem — disse eu, interrompendo a discussão. — Manda agradecer em meu nome àquele que te mandou aqui. E, quanto ao meio rublo perdido, procura encontrá-lo na volta e guarda-o para vodca.

— Muito agradecido, Vossa Nobreza — respondeu ele, fazendo voltar o cavalo. — Vou rezar a vida toda pelo senhor.

Dito isso, galopou de volta, comprimindo o peito com a mão, e logo depois desapareceu de vista.

Vesti o casaco e montei, fazendo Savélitch subir na garupa.

— Estás vendo, senhor? — disse o velho. — Não foi em vão que entreguei a minha petição àquele patife: o ladrão teve remorso. É verdade que esse cavalo magriço de raça basquir e o casaco de carneiro não valem nem metade daquilo que os patifes nos roubaram e daquilo que tu mesmo lhe deste de presente, mas assim mesmo vai servir.

## X.
## O CERCO DA CIDADE

> Ele ocupou os prados e as montanhas,
> E olhava como uma águia pra cidade.
> Mandou armar ao longe a catapulta
> E, certa noite, a colocou sob as muralhas.
>
> Kheráskov

Aproximando-se de Orenburg, vimos uma turba de forçados, de cabeças raspadas e rostos desfigurados pela torquês do carrasco. Estavam trabalhando junto às fortificações, sob a vigilância dos inválidos da guarnição. Uns retiravam o lixo que enchia o fosso, outros cavavam a terra com pás. Sobre a muralha, havia pedreiros carregando tijolos e fazendo reparos. Às portas da cidade, fomos detidos pelas sentinelas, que nos exigiram o passaporte. Quando o sargento ouviu que eu vinha da fortaleza Belogórskaia, levou-me imediatamente à casa do general.

Encontrei-o no jardim. Estava examinando as macieiras, despidas pelo sopro do outono e, ajudado por um velho jardineiro, cobria-as cuidadosamente com capas de palha. O seu rosto expressava tranquilidade, saúde e bonacheirice. Ficou muito contente com a minha chegada e começou a interrogar-me sobre os terríveis acontecimentos de que eu fora testemunha. Contei-lhe tudo. O velho me ouvia com atenção, enquanto cortava os galhos secos.

— Pobre Mirónov! — disse ele quando terminei o meu triste relato. — Pena: era um bom oficial. E a senhora dele também era ótima criatura, e como salgava bem os cogumelos! E o que sucedeu a Macha, a filha do capitão?

Respondi que ficara na fortaleza, entregue à mulher do padre.

— Ai, ai, ai! — disse o general. — Mau, muito mau! Não se pode confiar na disciplina dos bandidos. O que será da pobre moça?

Respondi que a fortaleza Belogórskaia não ficava longe e que Sua Excelência, provavelmente, não tardaria a mandar tropas para libertar os seus infelizes habitantes. O general meneou a cabeça, com ar incrédulo.

— Vamos ver, vamos ver — disse ele. — Ainda teremos ocasião de conversar sobre isso. Peço que venhas tomar chá comigo: hoje, haverá conselho de guerra em minha casa. Poderás dar-nos informações exatas sobre o vagabundo Pugatchóv e o seu exército. Por enquanto, vai descansar.

Fui para o apartamento que me tinham designado, onde Savélitch já estava providenciando a nossa instalação, e fiquei esperando com impaciência a hora marcada para a reunião do conselho. O leitor imaginará facilmente que não deixei de ir à reunião, que devia ter grande influência sobre o meu destino. À hora marcada, apresentei-me em casa do general.

Encontrei lá uma das autoridades da cidade (o diretor da alfândega, se não me falha a memória), um velhote gordo e rubicundo, com um caftan de brocado. Começou a interrogar-me sobre o destino de Ivan Kuzmitch, a quem chamava de compadre, e interrompia frequentemente o meu relato com perguntas suplementares e observações de natureza moral, as quais, embora não caracterizassem uma pessoa conhecedora da arte militar, denotavam ao menos sagacidade e inteligência.

Nesse ínterim, chegaram também os demais convidados. Depois que todos se assentaram e cada um recebeu a sua xícara de chá, o general expôs com bastante nitidez e muito extensamente o assunto da reunião.

— Agora, senhores — prosseguiu ele —, é preciso decidir como devemos agir contra os rebeldes: na ofensiva ou na defensiva? Cada uma dessas atitudes tem as suas vantagens e desvantagens. A ação ofensiva apresenta maiores esperanças de pronto aniquilamento do inimigo, mas a ação defensiva é mais segura e menos perigosa... Ponhamos, pois, o caso em votação, na ordem legal, isto é, começando pelas patentes menores. Senhor subtenente! — prosseguiu, dirigindo-se a mim. — Queira expor a sua opinião.

Levantei-me e, depois de descrever em poucas palavras a personalidade de Pugatchóv e o seu bando, disse afirmativamente que o usurpador não poderia resistir a um exército regular.

A minha opinião foi recebida pelas autoridades com evidente desagrado. Viam nela a irreflexão e o atrevimento próprios da mocidade. Ergueu-se um murmúrio, no meio do qual percebi claramente a palavra "fedelho", proferida por alguém a meia-voz.

O general se dirigiu a mim e disse com um sorriso:

— Senhor subtenente! Nos conselhos de guerra, geralmente, os primeiros votos são a favor de movimentos ofensivos: é a ordem normal das coisas. Agora, vamos continuar a contagem dos votos. Senhor conselheiro! Queira dar-nos a sua opinião.

O velhinho de caftan de brocado acabou apressadamente de beber a sua terceira xícara de chá, misturado com bastante rum, e respondeu ao general:

— Eu penso, Excelência, que não devemos agir nem na ofensiva, nem na defensiva.

— Como assim, senhor conselheiro? — perguntou surpreendido o general. — A tática não dispõe de outros recursos: movimento de defensiva ou de ofensiva...

— Vossa Excelência deve agir com movimento de suborno.

— Eh, eh, eh! A opinião do senhor é muito sensata. Os movimentos de suborno são permitidos pela tática de guerra, e havemos de aproveitar o seu conselho. Poderemos prometer pela cabeça do vagabundo... uns setenta rublos... ou até cem... da verba secreta...

— E então — interrompeu-o o diretor da alfândega —, quero ser um carneiro quirguiz, e não um conselheiro, se os ladrões não nos entregarem o seu chefe acorrentado de pés e mãos.

— Ainda vamos pensar e discutir sobre o caso — respondeu o general. — No entanto, é preciso tomar também medidas militares. Senhores, deem o seu voto pela ordem legal.

Todos os votos foram contrários ao meu. As autoridades discorreram sobre a falta de confiança nas tropas, a incerteza do sucesso, a cautela necessária e outras coisas do mesmo jaez. Todos achavam que era mais sensato permanecer sob a proteção dos canhões e atrás de forte muralha, que tentar em campo aberto a sorte das armas. Finalmente, depois de ouvir todas as opiniões, o general sacudiu a cinza de seu cachimbo e pronunciou o seguinte discurso:

— Meus senhores! Devo declarar-lhes que estou completamente de acordo com a opinião do subtenente, pois ela se baseia em todas as regras da sã tática de guerra, a qual prefere quase sempre os movimentos ofensivos aos defensivos.

Nesse ponto, fez uma pausa e pôs-se a encher o cachimbo. O meu amor-próprio triunfava. Olhei orgulhosamente para as autoridades, que murmuravam entre si, com ar inquieto e pouco satisfeito.

— Mas, senhores meus — prosseguiu ele, deixando escapar, juntamente com um profundo suspiro, uma densa baforada de fumaça —, eu não ouso tomar sobre mim tão grande responsabilidade, quando se trata da segurança das províncias que me foram confiadas por Sua Majestade, minha magnânima tsarina. Por conseguinte, concordo com a maioria dos votos, os quais decidiram que será mais sensato e seguro esperar o cerco dentro da cidade, repelindo os ataques do inimigo pela força da artilharia e, se possível, também por surtidas.

As autoridades, por sua vez, olharam-me com ironia. Dissolveu-se a reunião. Não pude deixar de lamentar a fraqueza do digno guerreiro, o qual, contrariamente à sua própria convicção, decidira seguir as opiniões de pessoas inexperientes e ignorantes no assunto.

Alguns dias após aquele famoso conselho, soubemos que Pugatchóv, fiel à sua promessa, aproximava-se de Orenburg. Vi o exército rebelde de cima das muralhas da cidade. Pareceu-me que o seu número se multiplicara dez vezes desde o último assalto de que eu fora testemunha. Vinha com eles a artilharia que Pugatchóv tomara nas pequenas fortalezas já subjugadas. Lembrando-me da decisão do conselho, previa um longo enclausuramento nas muralhas de Orenburg, e quase chorava de pesar.

Não vou descrever o sítio de Orenburg, que pertence à história e não às memórias de família. Direi, em poucas palavras, que este sítio, mercê da falta de previsão das autoridades locais, foi terrível para os habitantes, que sofreram fome e toda sorte de privações. É fácil compreender que a vida em Orenburg era absolutamente insuportável. Todos aguardavam deprimidos a decisão de sua sorte e se queixaram da carestia, que era com efeito tremenda. Os habitantes se habituaram às granadas de artilharia que caíam em seus quintais. Os próprios assaltos de Pugatchóv não despertavam mais a curiosidade geral. Eu morria de tédio. O tempo passava, e não vinham para mim cartas da fortaleza Belogórskaia. Todos os caminhos estavam cortados. A separação com Maria Ivânovna se tornava insuportável. O desconhecimento de sua sorte me torturava. A equitação constituía o meu único divertimento. Graças a Pugatchóv, tinha um bom cavalo, com o qual repartia as minhas parcas provisões e sobre o qual saía diariamente fora da cidade, para trocar tiros com os cavaleiros de Pugatchóv. Nesses tiroteios, geralmente, levavam vantagem os malfeitores, que estavam bem alimentados, bêbedos e tinham bons cavalos. A esquálida cavalaria da cidade não os podia sobrepujar. Às vezes, saía também em campo a nossa famélica infantaria. A neve profunda, porém, não lhe permitia agir com sucesso contra os cavaleiros espalhados pelo campo. A artilharia troava inutilmente do alto das muralhas, mas no campo se atolava e não se movia, por causa da debilidade dos cavalos. Tais eram os métodos de nossas ações militares! E era isso que os funcionários de Orenburg chamavam de cautela e prudência!

Certa vez, quando conseguimos dispersar e pôr em fuga um grupo bastante numeroso, caí sobre um cossaco que se atrasara de seus companheiros. Já estava pronto para dar-lhe um golpe com o meu sabre turco, mas ele tirou o chapéu e gritou:

— Bom dia, Piotr Andrêitch! Como vai?

Olhei e reconheci o nosso sargento. Apoderou-se de mim um contentamento indizível.

— Bom dia, Maksímitch — disse eu. — Faz tempo que saíste de Belogórskaia?

— Não, paizinho Piotr Andrêitch, estive lá ainda ontem. Tenho uma cartinha para o senhor.

— Onde está? — exclamei cheio de ansiedade.

— Tenho-a comigo — respondeu Maksímitch, metendo a mão pela abertura da camisa. — Prometi a Palachka que acharia um meio de entregá-la ao senhor.

Passou-me um papel dobrado e partiu a galope. Abri a carta e li, trêmulo, as seguintes linhas:

"Deus resolveu privar-me de repente de meus pais: não tenho no mundo parentes, nem protetores. Recorro ao senhor, por saber que sempre me quis bem e que está pronto a auxiliar qualquer pessoa. Imploro a Deus que esta carta chegue de algum modo às suas mãos! Maksímitch prometeu entregá-la ao senhor. Palachka ouviu também de Maksímitch que ele o vê com frequência, de longe,

durante as surtidas, e que o senhor não cuida absolutamente de si, nem pensa naqueles que rogam a Deus pelo senhor com lágrimas nos olhos. Passei muito tempo doente e, quando me restabeleci, Aleksei Ivânovitch, que é o nosso comandante em lugar de meu falecido pai, obrigou o padre Guerássim a entregar-me a ele, ameaçando-o para tal fim com Pugatchóv. Vivo em nossa casa, com sentinela à vista. Aleksei Ivânovitch exige que eu me case com ele. Diz que me salvou a vida, não denunciando a mentira de Akulina Pamfílovna, a qual dissera aos malfeitores que sou sobrinha dela. Mas, para mim, seria mais fácil morrer que tornar-me esposa de um homem como Aleksei Ivânovitch. Ele me trata com muita crueldade e ameaça dizendo que, se eu não aceder, vai levar-me ao acampamento do malfeitor, para que eu tenha a mesma sorte de Elizaveta Kharlova.[40] Pedi a Aleksei Ivânovitch que me deixasse refletir. Concordou em esperar mais três dias, mas se depois desse prazo eu não me decidir a casar com ele, então não haverá perdão. Paizinho Piotr Andrêitch! O senhor é o meu único amparo, proteja esta infeliz. Peça ao general e a todos os comandantes que nos mandem socorro o quanto antes, e venha também se puder.
Sua humilde amiga e infeliz órfã
                        Maria Mirónova"

---

[40] Esposa do comandante da fortaleza de Nijneoziórnoe. Foi poupada por Pugatchóv, que fez dela sua amante. Mas os demais chefes da revolta temiam a influência que ela poderia exercer sobre o usurpador. Exigiram a sua morte, e ela foi fuzilada juntamente com um irmão de sete anos. Púchkin narrou este acontecimento em sua *História de Pugatchóv*. (N. do T.)

Lendo esta carta, quase perdi o juízo. Corri para a cidade, esporeando sem contemplação o meu pobre cavalo. Pelo caminho, imaginei mil e um modos de salvar a pobre moça, mas não pude inventar nada de eficaz. Chegando à cidade, fui diretamente à casa do general, onde entrei às carreiras.

Ele caminhava pela sala, fumando o seu cachimbo. Vendo-me, parou. Provavelmente, o meu aspecto o surpreendeu. Perguntou com interesse qual a causa de minha apressada visita.

— Excelência! — disse-lhe eu. — Recorro ao senhor como se fosse meu pai. Pelo amor de Deus, atenda à minha súplica: trata-se da felicidade de toda a minha vida.

— Que há, paizinho? — perguntou estupefato o velho. — Que posso eu fazer por ti? Fala.

— Excelência, permita-me levar uma companhia de soldados e meio cento de cossacos para tomar a fortaleza Belogórskaia.

O general me olhou fixamente, supondo provavelmente que eu perdera a razão (no que por pouco não acertou).

— Como? Tomar a fortaleza Belogórskaia? — disse ele afinal.

— Garanto o sucesso — respondi com ardor. — Dê-me a sua autorização.

— Não, jovem — disse ele, meneando a cabeça. — Numa extensão tão grande, será fácil para o inimigo cortar-lhe a comunicação com o ponto estratégico principal e derrotá-lo completamente. A comunicação interrompida...

Fiquei surpreso ao vê-lo ocupado com considerações de ordem militar, e apressei-me a interrompê-lo.

— A filha do capitão Mirónov — disse eu — escreveu-me uma carta pedindo socorro. Schwabrin quer obrigá-la a casar com ele.

— Será possível! Esse Schwabrin é um grande *schelm*,[41]

---

[41] "Velhaco", em alemão no original. (N. do T.)

e se me cair nas mãos, mandarei julgá-lo em vinte e quatro horas, e havemos de fuzilá-lo no parapeito da fortaleza! Mas, por enquanto, é preciso ter paciência...

— Ter paciência! — gritei fora de mim. — E nesse ínterim, ele se casará com Maria Ivânovna!...

— Oh! — replicou o general. — A desgraça não é grande: é melhor que ela seja, por enquanto, esposa de Schwabrin. Ele pode protegê-la agora e, depois que o fuzilarmos, graças a Deus, acharemos noivo para ela. As viuvinhas não ficam muito tempo solteiras, isto é, eu quis dizer que uma viuvinha encontra marido mais depressa que uma moça casadoura.

— Eu prefiro morrer — disse enfurecido — a cedê-la a Schwabrin!

— Ora, ora, ora, ora! — disse o velho. — Agora compreendo: provavelmente, estás apaixonado por Maria Ivânovna. Agora o caso é diferente! Pobre menino! Mas, apesar de tudo, não te posso dar uma companhia de soldados e meio cento de cossacos. Tal expedição seria insensata, e eu não posso assumir esta responsabilidade.

Baixei a cabeça e entreguei-me ao desespero. De súbito, um pensamento perpassou-me pela mente, e, como dizem os romancistas antigos, o leitor verá no próximo capítulo em que consistia tal pensamento.

## XI.
## O ARRABALDE AMOTINADO

> Naquele tempo o leão estava saciado,
> E embora seja ele feroz,
> Perguntou com carinho:
> "O que te traz ao meu covil?"
>
> A. Sumarókov

Deixei o general e fui apressadamente para casa. Savélitch me recebeu com as exortações de sempre.

— Para quê precisas, senhor, fazer patrulha contra bandidos embriagados? Será isso tarefa de fidalgo! Expões-te a morrer a qualquer momento. E ainda se lutasses contra o turco ou o sueco! Mas contra esta gente!

Interrompi o seu discurso, perguntando-lhe quanto dinheiro eu possuía.

— Ainda tens o suficiente — respondeu ele com ar satisfeito. — Os patifes vasculharam tudo, mas, assim mesmo, pude esconder o dinheiro.

E, dizendo isso, tirou do bolso uma comprida bolsinha de tricô, cheia de moedas de prata.

— Bem, Savélitch — disse-lhe eu —, entrega-me agora a metade e fica com o resto. Vou à fortaleza Belogórskaia.

— Paizinho Piotr Andrêitch! — disse o bom preceptor com voz trêmula. — Teme a Deus! Como podes partir em viagem num tempo como esse, quando os bandidos ocupam as estradas! Compadece-te ao menos de teus pais, se não tens pena de ti mesmo. Aonde vais? E por quê? Espera um pouco: virão mais tropas e aprisionarão os patifes, então poderás ir aonde queiras.

Mas eu estava firmemente decidido a levar avante o meu intento.

— É tarde para argumentar — respondi ao velho. — Eu devo ir e não posso deixar de fazê-lo. Não fiques triste, Savélitch: Deus é misericordioso e talvez ainda nos vejamos. Mas vê lá, não tenhas escrúpulos e não sejas avarento. Compra tudo o que te for necessário, embora tenhas de pagar três vezes o preço normal. Eu te presenteio com este dinheiro. Se eu não voltar dentro de três dias...

— Que dizes, senhor? — interrompeu-me Savélitch. — Que eu te deixe partir sozinho! Não me peças isso nem sonhando. Se resolveste viajar, não te deixarei, nem que seja preciso seguir-te a pé. Que eu fique aqui sem ti, atrás da muralha de pedra! Pensas que perdi a cabeça? Faze o que quiseres, mas eu não te deixarei.

Eu sabia que não adiantava discutir com Savélitch e lhe dei licença de preparar-se para a viagem.

Meia hora mais tarde, montei meu bom cavalo, enquanto Savélitch subia para o seu pangaré, esquálido e capenga, que lhe fora dado de graça por um habitante da cidade, incapaz de alimentar o animal. Chegamos às portas da cidade. As sentinelas nos deixaram passar e saímos de Orenburg.

Começava a escurecer. O caminho por onde íamos passava pelo arrabalde Berdskaia, abrigo de Pugatchóv. A estrada estava coberta de neve, mas por toda a estepe se viam pegadas de cavalos, diariamente renovadas. Eu ia a trote largo. Savélitch mal podia acompanhar-me à distância e gritava-me a todo momento:

— Mais devagar, senhor, pelo amor de Deus, mais devagar! O meu maldito pangaré não consegue alcançar o teu diabo de pernas compridas. Aonde te apressas assim? Ainda se fosse para uma festa, mas aqui, quando menos se espera, cai-nos o machado sobre o pescoço... Piotr Andrêitch... paizinho Piotr Andrêitch!... Não te desgraces!... Deus Todo-Poderoso, vai perder-se o menino fidalgo!

Logo, começaram a brilhar as luzes do arrabalde Berdskaia. Chegamos aos barrancos que constituíam a defesa natural do povoado. Savélitch não se apartava de mim, prosseguindo sempre nas suas lamentações. Eu esperava rodear o arrabalde com êxito. Mas de repente vi nas trevas, bem diante de mim, uns cinco mujiques armados de cacetes: era um posto avançado do abrigo de Pugatchóv. Deram voz de alto. Não conhecendo a senha, quis passar por eles em silêncio, mas fui cercado imediatamente, e um dos mujiques segurou o meu cavalo pela rédea. Desembainhei o sabre e bati com ele na cabeça do homem. O chapéu o salvou, mas ele cambaleou e largou a rédea. Os demais ficaram confusos e recuaram. Aproveitando a ocasião, esporeei o cavalo e afastei-me a galope.

As trevas da noite que caía poderiam livrar-me de todo perigo, quando, olhando de repente para trás, vi que Savélitch não estava mais comigo. O pobre velho, com o seu cavalo manco, não podia escapar aos bandidos. Que fazer? Esperei um pouco por ele e, certificando-me de que fora detido, fiz o cavalo voltar e corri a prestar-lhe ajuda.

Chegando ao barranco, ouvi ruídos, gritos e a voz de meu Savélitch. Galopei mais depressa e, dentro em pouco, estava novamente entre os mujiques do posto, que me haviam detido poucos instantes atrás. Savélitch encontrava-se entre eles. Os mujiques haviam tirado o velho de cima do pangaré e preparavam-se para amarrá-lo. A minha chegada os alegrou. Atiraram-se a mim com um grito e num instante me arrancaram da sela. Um deles, aparentemente o chefe do grupo, declarou-nos que ia levar-nos sem demora à presença do tsar.

— E o nosso paizinho — acrescentou ele — vai dizer se devemos enforcar vocês já, ou se vamos esperar o raiar do dia.

Eu não resisti, Savélitch seguiu o meu exemplo e os homens da patrulha nos conduziram triunfalmente. Atravessamos a ravina e penetramos no arrabalde. Havia luzes em todas as isbás. Por toda parte, ressoavam ruídos e gritos. Havia muita gente na rua, mas no meio da treva ninguém reconheceu em mim um oficial de Orenburg. Levaram-nos para a isbá que ficava num cruzamento. Junto ao portão, havia alguns barris de vinho e dois canhões.

— Aqui é o palácio — disse um dos mujiques —, vamos comunicar já a chegada de vocês.

Entrou na isbá. Olhei para Savélitch e vi que o velho se persignava, repetindo uma oração em voz baixa. Esperei muito tempo. Finalmente, o mujique voltou e me disse:

— Vai, nosso paizinho mandou chamar o oficial.

Entrei na isbá, ou palácio, como a chamavam os mujiques. Estava iluminada por duas velas de sebo e tinha as paredes forradas com papel dourado. Aliás, os bancos, a mesa, o lavatório suspenso por uma corda, a toalha pendurada num prego, o atiçador num canto, a lareira ampla, com muitos jarros em cima — tudo lembrava uma isbá comum. Pugatchóv estava sentado sob os ícones, de caftan vermelho e chapéu alto, com a mão no quadril, em postura imponente. Ao seu lado, estavam alguns dos companheiros mais importantes, com ar de subserviência fingida. Era evidente que a notícia da chegada de um oficial de Orenburg despertara entre os rebeldes grande curiosidade e que eles se preparavam para me receber solenemente. Pugatchóv me reconheceu ao primeiro olhar. A sua importância fingida desapareceu no mesmo instante.

— Ah, Vossa Nobreza! — disse-me ele com vivacidade. — Como vais? E que te traz por aqui?

Respondi que ia tratar de meus assuntos, e que os homens dele me detiveram.

— E que assuntos eram esses? — perguntou ele.

Não sabia o que responder. Supondo que eu não quisesse explicar-me diante de testemunhas, Pugatchóv dirigiu-se aos companheiros e ordenou-lhes que saíssem. Todos obedeceram, com exceção de dois que não se moveram do lugar.

— Não tenhas medo de falar diante deles — disse-me Pugatchóv —, eu não lhes oculto nada.

Olhei de viés para os confidentes do usurpador. Um deles, um velho enfermiço e encurvado, de barbicha branca, não tinha nada de particular, a não ser uma fita azul, a tiracolo sobre o capote cinzento. Mas nunca hei de esquecer o seu companheiro. Era um homem alto, robusto e de ombros largos, que me pareceu ter uns quarenta e cinco anos. A espessa barba ruiva, os olhos faiscantes, o nariz sem abas e as manchas avermelhadas na testa e nas faces davam ao seu rosto largo e bexigoso uma expressão inexplicável. Usava uma camisa vermelha, um roupão quirguiz e calças cossacas. O primeiro, conforme eu soube mais tarde, era o cabo desertor Beloborodov; o segundo, Afanássi Sokolov, apelidado de Bate-Palmas, era um criminoso que fugira três vezes das minas da Sibéria.[42] Apesar dos sentimentos que me agitavam intensamente, a sociedade em que me encontrava tão inesperadamente causou-me forte impressão. Mas Pugatchóv me fez voltar a mim com a pergunta:

— Dize: que assunto te fez sair de Orenburg?

Um pensamento estranho passou-me pela mente: pareceu-me que a Providência, trazendo-me pela segunda vez à presença de Pugatchóv, dava-me a oportunidade de realizar minha intenção. Resolvi aproveitá-la e, antes que pudesse refletir sobre o passo a que me lançava, respondi:

---

[42] Ivan Naúmovitch Beloborodov (1741-1774) aliou-se a Pugatchóv em 1774; em sua *História de Pugatchóv*, Púchkin conta que ele trouxe consigo 4 mil homens. Afanássi Sokolov (1714-1774) foi libertado da prisão e enviado a Pugatchóv em 1773, por ordens do próprio Reinsdorp, na qualidade de mensageiro. Ao chegar, juntou-se imediatamente ao exército dos insurgentes. (N. da E.)

— Eu ia à fortaleza Belogórskaia, para libertar uma órfã, que está sendo maltratada.

Os olhos de Pugatchóv cintilaram.

— Qual dos meus homens se atreve a maltratar uma órfã? — gritou ele. — Por mais importante que ele seja, não escapará à minha justiça. Dize: quem é o culpado?

— Schwabrin — respondi. — Ele está mantendo prisioneira aquela moça que tu viste doente em casa do padre, e deseja casar-se com ela à força.

— Vou dar uma lição a Schwabrin! — disse Pugatchóv com severidade. — Ele vai ver o que se arranja comigo, quando se começa a usar de arbitrariedade e fazer mal ao povo. Vou enforcá-lo.

— Permite-me uma palavra — disse Bate-Palmas, com voz rouquenha. — Foste muito apressado em nomear Schwabrin comandante da fortaleza, e agora também te apressas demais em enforcá-lo. Já ofendeste os cossacos, dando-lhes por chefe um fidalgo; não assustes agora os fidalgos, condenando-os à primeira denúncia.

— Não se deve poupá-los! — disse o velhote com a fita azul. — Não é grande mal enforcar Schwabrin. Mas também seria bom interrogar direito o oficial: por que se dignou vir até aqui? Se não te reconhece como tsar, então não há motivo para que peça a tua justiça. Mas, se te reconhece, por que então até hoje ficou em Orenburg, junto dos teus inimigos? Por que não mandas levá-lo para a sala de interrogatórios e acender lá um foguinho? Tenho a impressão de que Sua Mercê nos foi enviado pelos oficiais de Orenburg.

A lógica do velho malfeitor me pareceu assaz convincente. Um frio passou-me por todo o corpo quando me lembrei nas mãos de quem eu me encontrava. Pugatchóv notou a minha perturbação.

— Hein, Vossa Nobreza? — disse-me, piscando o olho. — Parece que o meu marechal de campo tem razão. Que me dizes a isso?

A pilhéria de Pugatchóv me fez voltar o ânimo. Respondi calmamente que estava sob o seu poder e que ele podia proceder comigo como bem entendesse.

— Está bem — disse Pugatchóv. — Dize agora em que estado se encontra a cidade de vocês.

— Graças a Deus — respondi —, tudo vai bem.

— Tudo vai bem? — repetiu Pugatchóv. — E o povo morre de fome!

O usurpador dizia a verdade. Mas, fiel ao meu juramento, procurei convencê-lo de que tudo isso não passava de boatos, e que em Orenburg não faltavam provisões.

— Estás vendo — recomeçou o velhote — que ele te engana. Todos os fugitivos concordam que em Orenburg há fome e miséria negra, que lá dão graças a Deus quando se arranja ao menos carniça para comer, mas Sua Mercê nos diz que há de tudo. Se queres enforcar Schwabrin, pendura este mocinho na mesma forca, para que ninguém tenha inveja.

As palavras do maldito velhote, ao que parece, fizeram com que Pugatchóv vacilasse. Felizmente, Bate-Palmas começou a contradizer o companheiro.

— Basta, Naumitch — disse ele. — Tu só queres saber de enforcar e apunhalar. Grande lutador! A gente mal pode compreender por onde é que a alma se segura em teu corpo. Estás à beira do túmulo, mas sempre procuras desgraçar alguém. Será que tens pouco sangue na consciência?

— Bonito santarrão! — replicou Beloborodov. — De onde te vem tanta piedade?

— Naturalmente — respondeu Bate-Palmas —, também sou pecador, e este braço (fechou com força o punho ossudo e, arregaçando a manga, mostrou o braço peludo) é culpado pelo sangue cristão derramado. Mas eu destruía o inimigo, e não o hóspede; sobre a estrada livre e na mata escura, mas não em casa, sentado à lareira; com o machado e a bola de ferro, mas não com falas de mulher.

O velho voltou o rosto e resmungou: "Narinas rasgadas!...".

— O que resmungas aí, velho salafrário? — gritou Bate-Palmas. — Vais ver as narinas rasgadas! Espera, teu dia chegará e, com a graça de Deus, também vais cheirar a torquês do carrasco... Mas, por enquanto, toma cuidado para que eu não te arranque essa barbicha!

— Senhores generais! — proferiu solenemente Pugatchóv. — Basta de brigas. Não seria grande mal se todos os cães de Orenburg esperneassem sob o mesmo travessão de madeira; o mal está em que os nossos se mordem entre si. Bem, façam as pazes.

Bate-Palmas e Beloborodov não disseram palavra e continuaram olhando um para o outro com expressão sombria. Compreendi a necessidade de desviar o assunto da conversa, que poderia terminar de modo muito desvantajoso para mim, e, dirigindo-me a Pugatchóv, disse-lhe com expressão alegre:

— Ah! Eu ia-me esquecendo de te agradecer o cavalo e o casaco que me deste. Sem ti, não teria chegado à cidade e morreria congelado pelo caminho.

O meu estratagema deu certo. Pugatchóv ficou bem-disposto.

— Amor com amor se paga — disse-me ele, piscando e depois fechando o olho. — Dize-me agora o que tens a ver com a moça que Schwabrin está maltratando. Não serão coisas do coração?

— Ela é minha noiva — respondi a Pugatchóv, percebendo uma mudança favorável da situação e não achando necessário ocultar a verdade.

— Tua noiva! — gritou Pugatchóv. — Por que não disseste isso antes? Agora, vamos casar-te e festejar as bodas!

Em seguida, dirigiu-se a Beloborodov:

— Escuta, marechal de campo! Nós somos velhos amigos de Sua Nobreza. Sentemo-nos e jantemos. A manhã é boa conselheira, e amanhã vamos ver o que faremos com ele.

Eu gostaria de me recusar à honra proposta, mas não havia remédio. Duas jovens cossacas, filhas do dono da isbá, puseram à mesa uma toalha branca. Trouxeram pão, sopa de peixe e algumas garrafas de vinho e de cerveja, e, pela segunda vez, me encontrei sentado à mesa com Pugatchóv e os seus terríveis companheiros.

A orgia de que fui testemunha involuntária durou até altas horas da noite. Finalmente, os vapores do álcool começaram a dominar os convivas. Pugatchóv caiu em modorra no próprio lugar em que estava sentado. Os companheiros dele se ergueram e me fizeram sinal para que o deixasse. Saí com eles. Por ordem de Bate-Palmas, uma sentinela me levou à isbá que servia de prisão, onde encontrei Savélitch, em cuja companhia fiquei encarcerado. O preceptor estava tão surpreendido com a marcha dos acontecimentos que não me fez qualquer pergunta. Deitou-se no escuro e passou muito tempo suspirando e gemendo. Finalmente, começou a ressonar, enquanto eu me entregava aos meus pensamentos, que não me permitiram cair em modorra um momento que fosse em toda a noite.

De manhã, vieram chamar-me de ordem de Pugatchóv. Fui vê-lo. Junto ao portão, estava um carro coberto, puxado por três cavalos tártaros. O povo se aglomerava na rua. Encontrei Pugatchóv no vestíbulo: estava com traje de viagem, de peliça e chapéu quirguiz. Os convivas da véspera o rodeavam, com um ar de subserviência que contrastava fortemente com tudo que eu testemunhara de noite. Pugatchóv me cumprimentou alegremente e me ordenou que me sentasse com ele no carro.

Sentamo-nos.

— Para a fortaleza Belogórskaia! — disse Pugatchóv ao tártaro de ombros largos que dirigia em pé a troica.

O meu coração pôs-se a bater com força. Os cavalos partiram, tilintou o guizo e o carro voou...

— Espera! Espera! — ressoou uma voz que me era demasiadamente familiar, e eu vi Savélitch, que corria atrás de nós.

Pugatchóv mandou parar o carro.

— Paizinho Piotr Andrêitch! — gritou o preceptor. — Não me abandones depois de velho no meio destes pati...

— Ah, velho salafrário! — disse Pugatchóv. — Deus nos reuniu mais uma vez. Bem, senta-te no banco da frente.

— Obrigado, meu senhor, obrigado, pai! — disse Savélitch acomodando-se. — Que Deus te dê cem anos de vida e saúde porque acolheste e acalmaste o pobre velho. Vou rezar por ti a vida inteira e nunca mais hei de lembrar o casaco de lebre.

Aquele casaco de lebre podia, finalmente, impacientar Pugatchóv de verdade. Felizmente, o usurpador não ouviu ou desdenhou a indireta inconveniente. Os cavalos galoparam. Os transeuntes paravam e faziam uma profunda mesura. Pugatchóv cumprimentava com a cabeça em ambas as direções. Pouco depois, saíamos do arrabalde e galopávamos pela estrada plana. É fácil imaginar o que eu sentia naqueles momentos. Algumas horas mais tarde, eu devia encontrar aquela que já considerava perdida para mim. Eu imaginava o momento de nossa reunião... Pensava também no homem em cujas mãos estava o meu destino e o qual, por um estranho encadeamento de circunstâncias, estava misteriosamente ligado a mim. Lembrei-me da incontida crueldade e dos hábitos sanguinários daquele que se propunha ser o libertador de minha amada! Pugatchóv não sabia que ela era filha do capitão Mirónov. Schwabrin, enfurecendo-se, podia revelar-lhe tudo. Pugatchóv era também capaz de desvendar a verdade por outro meio... O que seria então de Maria Ivânovna? O frio percorreu-me todo o corpo e meus cabelos se puseram em pé...

De repente, Pugatchóv interrompeu os meus pensamentos, dirigindo-me uma pergunta.

— Por que Vossa Nobreza ficou assim pensativo?

— Como não ficar pensativo? — repliquei. — Sou oficial e fidalgo. Ainda ontem, lutava contra ti, mas hoje estou viajando contigo no mesmo carro e toda a felicidade de minha vida depende de ti!

— E então? — perguntou Pugatchóv. — Estás com medo?

Respondi que, tendo sido perdoado por ele uma vez, confiava agora não somente na sua clemência, mas também no seu auxílio.

— E tens razão, por Deus, que tens razão! — disse o usurpador. — Viste como os meus rapazes te olhavam de viés. Ainda hoje, o velhote ficou insistindo em que és um espião e que deves ser torturado e enforcado. Mas eu não concordei — acrescentou ele, baixando a voz, para não ser ouvido por Savélitch e pelo tártaro —, pois ainda me lembro de teu copo de vinho e do casaco de lebre. Estás vendo que não sou tão sanguinário como dizem os teus companheiros.

Lembrei-me da tomada de Belogórskaia, mas não achei necessário discutir o que ele me dizia, e não respondi palavra.

— Que dizem de mim em Orenburg? — perguntou Pugatchóv depois de um pequeno silêncio.

— Dizem que é um pouco difícil de dar conta de ti. Não há dúvida, tu te fizeste conhecer.

O rosto do usurpador expressou o seu amor-próprio satisfeito.

— Sim! — respondeu alegremente. — Eu sei guerrear. Sabem lá em Orenburg do combate nos arredores de Iuzêieva?[43] Quarenta generais mortos, quatro exércitos aprisionados. Que pensas: o rei da Prússia poderia competir comigo?

A petulância do bandido me pareceu divertida.

---

[43] A batalha de Iuzêieva aconteceu em 7 de novembro de 1773 e foi vencida pelo exército de Pugatchóv. (N. da E.)

— E que pensas tu mesmo? Poderias dar conta de Frederico?

— De Fiódor Fiódorovitch? Como não? Porventura não estou derrotando os generais de vocês? E eles o venceram. Até agora, as minhas armas tiveram êxito. Dá-me tempo, e me verás marchando sobre Moscou.

— Pretendes mesmo ir sobre Moscou?

O usurpador ficou pensativo por algum tempo e disse a meia-voz:

— Deus sabe. A minha vida não é fácil e não tenho bastante autoridade. Os meus rapazes estão sempre tramando algo. São todos ladrões. Devo tomar muito cuidado, pois, ao primeiro insucesso, vão salvar a vida com a minha cabeça.

— É isso mesmo! — disse eu a Pugatchóv. — Não seria melhor para ti deixá-los por tua própria vontade, enquanto é tempo, e recorrer à clemência da tsarina?

Pugatchóv sorriu amargamente.

— Não — respondeu ele —, já é tarde para me arrepender. Para mim, não haverá perdão. Vou continuar do mesmo modo que comecei. Quem sabe? Talvez dê certo. Grichka Otrépiev não reinou sobre Moscou?

— Mas sabes como acabou? Atiraram-no pela janela, apunhalaram-no, queimaram o seu corpo, carregaram com as cinzas em um canhão e atiraram!

— Escuta — disse Pugatchóv, entregando-se a algo parecido com uma inspiração selvagem. — Vou narrar-te um conto que ouvi na infância de uma velha calmuca. Certa vez, a águia perguntou ao corvo: "Dize-me, corvo, por que vives no mundo trezentos anos, e eu apenas trinta e três?". "Isso acontece, paizinho", respondeu o corvo, "porque te alimentas de sangue vivo, e eu só de carniça." A águia pensou: "Vou experimentar fazer o mesmo". Muito bem. A águia e o corvo saíram juntos. Viram um cavalo morto, desceram para comê-lo. O corvo começou a bicar e elogiar a comida. A águia bicou uma vez, bicou a segunda, bateu com a asa e disse ao corvo: "Não, meu velho. Em vez de me alimentar trezentos anos de animais mortos, prefiro saciar-me uma vez com sangue vivo e, depois, seja o que Deus quiser!". Que tal achas o conto calmuco?

— É engenhoso — respondi. — Mas viver de mortes e assaltos, me parece o mesmo que dar bicadas em carniça.

Pugatchóv me olhou surpreendido, mas não respondeu. Permanecemos ambos em silêncio, cada um mergulhado em seus pensamentos. O tártaro entoou uma canção muito triste. Savélitch modorrava e balançava-se sobre o banco da frente. O carro voava pela estrada plana de inverno... De repente, vi uma aldeia à margem do Iáik, com uma paliçada e um campanário — e um quarto de hora mais tarde, entrávamos na fortaleza Belogórskaia.

## XII.
## A ÓRFÃ

> Igual à nossa macieira,
> Que não tem ramos, nem brotos,
> É a nossa princesinha,
> Que não tem pai, não tem mãe,
> Nem quem a prepare pra boda,
> Nem quem a abençoe no altar.
>
> Canção de bodas

O carro chegou à porta da casa do comandante. O povo reconheceu o guizo da troica de Pugatchóv e correu atrás de nós. Schwabrin recebeu o usurpador à porta. Estava trajado como um cossaco e havia deixado crescer a barba. O traidor ajudou Pugatchóv a descer do carro, manifestando alegria e zelo em expressões de extrema baixeza. Vendo-me, ficou confuso, mas logo se dominou e estendeu-me a mão, dizendo:

— Também és dos nossos? Devias tê-lo feito há mais tempo.

Virei o rosto e não respondi nada.

Meu coração se confrangeu quando nos achamos no quarto meu conhecido, onde estava ainda pendurado na parede o diploma do falecido capitão, como um triste epitáfio do tempo passado. Pugatchóv sentou-se no mesmo divã em que Ivan Kuzmitch costumava modorrar, embalado pelos resmungos da esposa. Schwabrin lhe serviu vodca pessoalmente. Pugatchóv esvaziou um cálice e disse, apontando para mim: "Oferece também a Sua Nobreza". Schwabrin chegou-se a mim com a bandeja, mas eu voltei o rosto pela segunda vez. Ele parecia completamente atordoado. Com a sua habitual sagacidade, naturalmente adivinhou que Pugatchóv estava descontente com ele. Sua presença o atemorizava e, quanto a mim, olhava-me com desconfiança. Pugatchóv se informou sobre o estado da fortaleza, os boatos sobre tropas inimigas e outras coisas do mesmo jaez, e de repente perguntou à queima-roupa:

— Dize, meu velho, que moça é essa que tu manténs encarcerada? Quero vê-la.

Schwabrin ficou pálido como um cadáver.

— Senhor — disse ele com voz trêmula —, senhor, ela não está presa... está doente... deitada em seu quarto.

— Leva-me até lá — disse o usurpador, levantando-se.

Opor-se era impossível. Schwabrin conduziu Pugatchóv ao quarto de Maria Ivânovna, e eu os segui.

Schwabrin parou na escada.

— Senhor! — disse ele. — Pode exigir de mim o que quiser, mas não permita que um estranho entre no quarto de minha esposa.

Fiquei trêmulo.

— Estás casado! — disse a Schwabrin, pronto a fazê-lo em pedaços.

— Calma! — interrompeu-me Pugatchóv. — Isso é da minha conta. E tu — prosseguiu, dirigindo-se a Schwabrin — não venhas com histórias e fingimentos: se ela é tua esposa ou não, pouco importa, e eu levo ao quarto dela quem eu quiser. Vossa Nobreza vem comigo.

À porta do quarto, Schwabrin parou mais uma vez, dizendo com voz entrecortada:

— Senhor! Previno-o de que ela está febril e delira pelo terceiro dia consecutivo.

— Abre a porta! — disse Pugatchóv.

Schwabrin pôs-se a vasculhar os bolsos e disse que esquecera a chave. Pugatchóv empurrou a porta com o pé, a fechadura pulou fora, a porta abriu-se e nós entramos.

Olhei e quase desfaleci. Maria Ivânovna estava sentada no chão, magra, pálida, com um vestido rasgado de camponesa e os cabelos despenteados. Diante dela havia um jarro de água, coberto com um naco de pão. Vendo-me, ela estremeceu e soltou um grito. Não sei o que senti naquele momento — não posso lembrar-me.

Pugatchóv olhou para Schwabrin e disse com um sorriso amargo:

— Arranjaste um bonito hospital! — Depois, aproximando-se de Maria Ivânovna: — Dize-me, minha cara, por que teu marido te castiga? Que lhe fizeste?

— Meu marido! — repetiu ela. — Não é meu marido, e eu nunca serei sua esposa! Prefiro morrer e com certeza morrerei se ninguém me libertar.

Pugatchóv lançou um olhar severo para Schwabrin.

— E tu ousaste enganar-me! — disse ele. — Sabes o que mereces, vagabundo?

Schwabrin caiu de joelhos... Naquele momento, o desprezo abafou em mim todos os sentimentos de ódio e de ira. Contemplei com asco aquele fidalgo que se arrastava aos pés de um cossaco fugido da prisão. Pugatchóv se abrandou.

— Perdoo-te desta vez — disse ele a Schwabrin —, mas fica sabendo que, à primeira falta que cometeres, hei de me lembrar desta também.

Em seguida, dirigiu-se a Maria Ivânovna e disse-lhe carinhosamente:

— Sai daqui, linda moça. Concedo-te a liberdade. Eu sou o tsar.

Maria Ivânovna lançou-lhe um olhar rápido e adivinhou que diante dela estava o assassino de seus pais. Fechou o rosto com ambas as mãos e caiu sem sentidos. Lancei-me em sua direção. Mas, naquele instante, a minha velha conhecida Palachka penetrou muito ousadamente no quarto e começou a cuidar de sua ama. Pugatchóv saiu do quarto e fomos os três para a sala de visitas.

— Então, Vossa Nobreza? — disse rindo Pugatchóv. — Libertaste a linda moça! Que pensas, vale a pena mandar chamar o padre, para que case a sobrinha? Eu posso ser o pai-substituto, e Schwabrin o padrinho. Vamos fazer uma festança!

Aconteceu justamente o que eu temia. Ouvindo a proposta de Pugatchóv, Schwabrin perdeu o controle.

— Senhor! — gritou ele fora de si. — Sou culpado, pois lhe menti, mas Griniov também o está enganando. Esta moça não é sobrinha do padre local. É filha de Ivan Mirónov, que foi executado durante a ocupação desta fortaleza.

Pugatchóv dirigiu para mim o seu olhar de fogo.

— Que significa isso? — perguntou estupefato.

— Schwabrin te disse a verdade — respondi com firmeza.

— Não me contaste isso — disse Pugatchóv, cujo rosto adquiriu uma expressão sombria.

— Julga por ti mesmo — respondi. — Podia eu declarar diante de teus homens que a filha de Mirónov está viva? Seria impossível salvá-la, e eles a fariam em pedaços.

— Isso também é verdade — disse rindo Pugatchóv. — Os meus bêbedos não poupariam a pobre moça A mulher do padre fez muito bem quando os enganou.

— Escuta — prossegui, vendo a sua boa disposição. — Não sei, nem quero saber como te chamas... Mas Deus é testemunha de que eu daria de bom grado a vida para pagar o que fizeste por mim. Apenas, não exijas de mim o que é contrário à minha honra e à consciência cristã. És o meu benfeitor. Termina, pois, o que começaste e deixa-me partir com a pobre órfã, para onde Deus nos indicar. E onde quer que estejas, e aconteça o que acontecer contigo, estaremos sempre orando a Deus pela salvação de tua alma pecadora...

A alma de Pugatchóv pareceu comover-se.

— Seja o que queres! — disse ele. — Grande no castigo, grande no perdão: tal é o meu costume. Toma a tua amada e leva-a para onde quiseres, e que Deus vos dê amor e juízo!

Voltou-se para Schwabrin e mandou fornecer-me um salvo-conduto válido para todos os postos e fortalezas em poder dos rebeldes. Schwabrin estava completamente aniquilado e permanecia como petrificado. Pugatchóv foi percorrer a fortaleza. Schwabrin acompanhou-o, mas eu fiquei, pretextando os preparativos para a viagem.

Corri para o quarto de Maria Ivânovna. A porta estava fechada. Bati.

— Quem é? — perguntou Palachka.

Disse o meu nome. A vozinha doce de Maria Ivânovna ressoou atrás da porta:

— Espere, Piotr Andrêitch. Estou-me vestindo. Vá para a casa de Akulina Pamfílovna, e eu irei para lá daqui a pouco.

Obedeci e fui para a casa do padre Guerássim. Ele e a esposa correram-me ao encontro. Savélitch já os prevenira.

— Bom dia, Piotr Andrêievitch — dizia Akulina Pamfílovna. — Quis Deus que nos víssemos mais uma vez. Como vai? Lembramo-nos do senhor todos os dias. E o que Maria Ivânovna teve de sofrer sem o senhor!... Diga-me, paizinho, como pôde entender-se tão bem com Pugatchóv? Como foi que ele não o matou? Ainda bem! Devemos agradecer ao malfeitor ao menos isso.

— Basta, velha — interrompeu-a o padre Guerássim. — Farias melhor se te calasses. A loquacidade não traz salvação à alma. Paizinho Piotr Andrêievitch! Faça o favor de entrar. Há quanto tempo não nos víamos!

A mulher do padre começou a servir-me tudo o que lhe caía sob as mãos, enquanto não cessava de tagarelar.

Contou-me como Schwabrin os obrigara a entregar-lhe Maria Ivânovna, a qual chorou e não os quis deixar, como Maria Ivânovna manteve com ela uma permanente comunicação, por intermédio de Palachka (que era moçoila esperta e chegara até a manejar o sargento) e como ela lhe aconselhara a me escrever, e outras coisas mais. Por minha vez, contei-lhe sucintamente a minha história. O padre e sua esposa se persignaram ao saber que Pugatchóv estava ao corrente da mentira que lhe haviam pregado.

— Que Deus nos proteja — dizia Akulina Pamfílovna — e faça passar esta nuvem! Mas que criatura este Aleksei Ivânitch!

Naquele mesmo instante, abriu-se a porta e Maria Ivânovna entrou com um sorriso no rosto pálido. Havia deixado o seu vestido de camponesa, e estava trajada como outrora, com simplicidade e encanto.

Tomei-lhe a mão, e por muito tempo não pude dizer palavra. Permanecemos ambos em silêncio, com o coração transbordante. Os donos da casa sentiram que eram demais na sala e nos deixaram. Ficamos a sós. Conversamos e não nos fartávamos de falar. Maria Ivânovna me contou tudo o que lhe acontecera depois da tomada da fortaleza e me descreveu todo o horror de sua situação e todas as humilhações a que a submetia o sórdido Schwabrin. Recordamos também os felizes tempos de outrora... Ambos choramos... Expus-lhe finalmente os meus projetos. Era impossível para ela ficar na fortaleza dominada por Pugatchóv e governada por Schwabrin. Não se podia também pensar em Orenburg, submetida a todas as privações do sítio. Não tinha nenhum parente vivo. Propus-lhe que fosse para a aldeia de meus pais. A princípio vacilou, assustada com a conhecida má disposição de meu pai para com ela. Mas eu acalmei-a. Sabia que meu pai consideraria uma felicidade e uma obrigação acolher a filha de um valoroso guerreiro morto pela pátria.

— Querida Maria Ivânovna! — disse eu finalmente. — Considero-te minha esposa. Acontecimentos extraordinários nos uniram indissoluvelmente, e nada deste mundo nos pode separar.

Maria Ivânovna me ouviu com simplicidade, sem fingido acanhamento e sem evasivas engenhosas. Ela sentia que o seu destino estava ligado ao meu. Todavia, repetiu que seria minha esposa somente com a aprovação de meus pais. Eu não a contradisse. Beijamo-nos sinceramente e com ardor — e assim tudo ficou resolvido entre nós.

Uma hora mais tarde, o sargento me trouxe o salvo-conduto, assinado com as garatujas de Pugatchóv, e disse que ele me chamava. Encontrei-o pronto para a viagem. Não posso explicar o que sentia ao separar-me desse homem terrível, que era um monstro e um malfeitor para todos, menos para mim. Por que não dizer a verdade? Naquele momento, sentia-me preso a ele por um forte sentimento de compaixão. Desejava ardentemente arrancá-lo do meio daqueles malfeitores por ele chefiados e salvar a sua cabeça, enquanto era tempo. Schwabrin e o povo que se aglomerava em volta de nós me impediram de dizer tudo o que me enchia o coração.

Despedimo-nos amistosamente. Pugatchóv viu Akulina Pamfílovna no meio da multidão, ameaçou-a com o dedo e piscou o olho de modo expressivo. Em seguida, subiu para o seu carro e mandou seguir para o arrabalde Berdskaia. Quando os cavalos partiram, pôs mais uma vez a cabeça para fora do carro coberto e gritou para mim:

— Adeus, Vossa Nobreza! Talvez ainda nos vejamos um dia.

E, realmente, nos encontramos — mas em que circunstâncias!...

Pugatchóv se afastou. Fiquei olhando durante muito tempo a estepe branca, sobre a qual corria a sua troica. O povo se dispersou. Schwabrin desapareceu. Voltei para a casa do padre. Tudo estava preparado para a nossa partida e eu não a queria retardar. Todas as nossas coisas foram carregadas para a velha carroça do comandante. Os cocheiros atrelaram num instante os cavalos. Maria Ivânovna foi despedir-se dos túmulos de seus pais, enterrados atrás da igreja. Eu quis acompanhá-la, mas ela me pediu que a deixasse sozinha. Pouco depois, voltou vertendo lágrimas silenciosas.

Trouxeram o carro. O padre Guerássim com a esposa vieram para a frente da casa. Sentamo-nos os três no carro coberto: Maria Ivânovna, Palachka e eu. Savélitch subiu para o banco da frente.

— Adeus, querida Maria Ivânovna! Adeus, nosso caro Piotr Andrêitch! — dizia a boa Akulina Pamfílovna. — Boa viagem, e que Deus lhes dê a ambos muita felicidade!

Pusemo-nos a caminho. Vi Schwabrin parado à janela da casa do comandante. O seu rosto refletia um rancor sombrio. Eu não quis triunfar sobre o inimigo aniquilado e voltei os olhos noutra direção. Finalmente, atravessamos o portão e deixamos para sempre a fortaleza Belogórskaia.

## XIII.
## A PRISÃO

> — Não se zangue, senhor: por dever de serviço
> Devo mandá-lo já para a prisão.
> — Pois não, às ordens! Mas espero
> Que me permita expor todo o meu caso.
>
> Kniajnín

    Unido de modo tão inesperado à encantadora moça, cuja sorte me inquietava tão cruelmente ainda naquela manhã, eu não acreditava no meu próprio testemunho e imaginava que tudo o que sucedera comigo não passava de sonho. Maria Ivânovna olhava pensativamente, ora para mim, ora para a estrada e, segundo parecia, ainda não pudera voltar a si. Permanecíamos calados. Tínhamos os corações demasiadamente cansados. De modo imperceptível, achamo-nos duas horas mais tarde na fortaleza mais próxima, igualmente dominada por Pugatchóv. Trocamos os cavalos. Pela rapidez com que os atrelavam e pela solicitude apressada do cossaco barbudo, deixado por Pugatchóv na qualidade de comandante, compreendi que, graças à loquacidade do cocheiro, tomavam-me por um favorito.
    Partimos de novo. Começou a escurecer. Aproximamo-nos da cidadezinha onde, segundo disse o barbudo comandante, havia um forte destacamento, que ia reunir-se ao usurpador. Fomos detidos por sentinelas. Perguntaram quem éramos e o cocheiro respondeu com voz tonitruante: "O compadre do tsar com a sua patroa". De repente, um magote de hussardos nos rodeou com uma gritaria terrível.

— Sai daí, compadre do diabo! — disse-me um sargento bigodudo. — Caíste em bons lençóis, com a tua patroa!

Saí do carro e exigi que me levassem ao comandante. Vendo um oficial, os soldados cessaram o vozerio. O sargento me conduziu à presença de um major. Savélitch não se afastava de mim, repetindo a meia-voz: "Aí está o que vale ser compadre do tsar! Saímos do fogo para cair sobre brasas... Senhor Todo-Poderoso! Como vai acabar tudo isso?". O carro nos acompanhou a passo.

Cinco minutos depois, chegamos a uma casinha fortemente iluminada. O sargento me deixou com a sentinela e foi participar a minha chegada. Voltou imediatamente, declarando-me que Sua Alta Nobreza[44] não tinha tempo para me receber e que mandara levar-me à cadeia e conduzir a minha patroa à casa dele.

— Que significa isso? — gritei enfurecido. — Será que ele perdeu o juízo?

— Não posso saber, Vossa Nobreza — respondeu o sargento. — Mas Sua Alta Nobreza mandou levar Vossa Nobreza para a cadeia e conduzir Sua Nobreza à presença de Sua Alta Nobreza, Vossa Nobreza!

Lancei-me em direção da porta. As sentinelas nem pensaram em me deter, e eu entrei diretamente no quarto em que uns seis oficiais de hussardos estavam jogando faraó. O major dava as cartas. Qual não foi a minha surpresa quando, olhando para ele, reconheci Ivan Ivânovitch Zúrin, que outrora havia ganho de mim cem rublos na hospedaria de Simbirsk!

— Será possível? — gritei. — Ivan Ivânovitch! És tu?

— Ora, ora, ora, Piotr Andrêitch! Que ventos te trazem? Como vais, meu velho? Não queres arriscar uma cartinha?

— Agradecido. Manda reservar-me um apartamento.

— Para que apartamento? Fica comigo.

---

[44] Tratamento dispensado aos oficiais superiores. (N. do T.)

— Não posso, não estou sozinho.
— Traze o teu amigo também.
— Não estou com um amigo, trago... uma senhora.
— Uma senhora! Mas onde foi que a fisgaste? Eh, meu velho!

Dizendo isso, Zúrin assobiou de modo tão expressivo que todos caíram em gargalhada, e eu fiquei completamente confuso.

— Está bem — prosseguiu Zúrin —, terás um apartamento. Mas é pena... Faríamos uma festança, como outrora... Eh, rapaz! Por que não trazem a comadre de Pugatchóv? Ou ela está opondo resistência? Digam-lhe que não tenha medo, pois o patrão é boa pessoa e não lhe fará mal, mas, ao mesmo tempo, deem-lhe uns bons pescoções.

— Que queres dizer? — perguntei a Zúrin. — De que comadre de Pugatchóv estás falando? Ela é filha do falecido capitão Mirónov. Eu a libertei e a estou levando para a aldeia de meu pai, onde a deixarei.

— Como? Então foste tu que chegaste ainda há pouco! Mas, que significa tudo isso?

— Contarei mais tarde. E agora, pelo amor de Deus, acalma a pobre moça que os teus hussardos assustaram.

Zúrin deu imediatamente as ordens necessárias. Ele mesmo saiu à rua para se desculpar com Maria Ivânovna por causa daquela confusão involuntária, e ordenou ao sargento que lhe reservasse o melhor quarto da cidade. Eu fiquei para pernoitar em casa dele.

Jantamos e, quando ficamos a sós, contei-lhe as minhas aventuras. Zúrin me ouviu com muita atenção. Depois que terminei, meneou a cabeça e disse:

— Tudo isso, meu velho, está bem. Só não concordo com uma coisa: para que diabo queres casar? Sou um oficial honesto e não quero enganar-te. Podes crer no que digo: o casamento é uma loucura. Para que precisas afanar-te com a mulher e com as crianças? Deixa isso de lado. Ouve o que te digo: rompe com a filha do capitão. O caminho para Simbirsk foi desembaraçado por mim e não apresenta perigo. Manda-a amanhã mesmo, sozinha, à casa de teus pais, e fica no meu destacamento. Não precisas voltar para Orenburg. Se caíres mais uma vez nas mãos dos rebeldes, é pouco provável que escapes de novo. Desse modo, as bobagens amorosas vão passar por si, e tudo estará bem.

Embora eu não concordasse plenamente com ele, sentia, entretanto, que um dever de honra exigia a minha presença no exército da imperatriz. Resolvi seguir o conselho de Zúrin, isto é, mandar Maria Ivânovna para a aldeia de meus pais e ficar no destacamento dele.

Savélitch veio para me despir. Eu o preveni de que estivesse pronto para partir no dia seguinte com Maria Ivânovna. Ele experimentou teimar. "Que é isso, senhor? Como posso deixar-te? Quem cuidará de ti? Que dirão os teus pais?"

Conhecendo a teimosia de meu preceptor, resolvi convencê-lo com sinceridade e carinho.

— Arkhip Savélitch, meu amigo! — disse eu. — Não te recuses a ser o meu benfeitor. Não precisarei aqui de teus serviços, mas não ficarei sossegado se Maria Ivânovna partir sem ti. Servindo-a, estás servindo a mim também, pois eu estou firmemente decidido a casar-me com ela, logo que as circunstâncias o permitirem.

Savélitch ergueu os braços, com uma expressão de indescritível surpresa.

— Casar-se! — repetiu ele. — O menino quer casar-se! Que dirá seu pai e o que vai pensar sua mãe?

— Vão concordar, com toda a certeza — respondi —, depois que conhecerem Maria Ivânovna. Confio também em ti. Meus pais acreditam em ti, e tu hás de interceder por nós, não é verdade?

O velho se comoveu.

— Ai, meu paizinho Piotr Andrêitch! — respondeu ele. — É verdade que é muito cedo para casar, mas, em compensação, Maria Ivânovna é uma moça tão boa que seria um pecado perder esta ocasião. Faça-se a tua vontade! Vou acompanhar aquele anjo de Deus e, fiel ao meu papel de escravo, direi a teus pais que uma noiva assim nem precisa de dote.

Agradeci a Savélitch e deitei-me para dormir no mesmo quarto com Zúrin. Excitado e cheio de agitação, pus-me a tagarelar. A princípio, Zúrin conversou de bom grado comigo, mas, aos poucos, as suas palavras foram-se tornando mais raras e sem nexo. Finalmente, em vez de responder a uma pergunta, soltou um ronco, acompanhado de assobio. Calei-me e, pouco depois, segui o seu exemplo.

No dia seguinte, de manhã, fui ver Maria Ivânovna. Contei-lhe os meus projetos. Ela reconheceu a sua sensatez e imediatamente concordou comigo. O destacamento de Zúrin devia sair da cidade naquele mesmo dia. Não havia motivo para delongas. Despedi-me de Maria Ivânovna, confiando-a a Savélitch e dando-lhe uma carta para meus pais. Maria Ivânovna se pôs a chorar.

— Adeus, Piotr Andrêitch — disse ela, com voz abafada. — Só Deus sabe se ainda nos veremos, mas eu nunca hei de te esquecer e, até a morte, estarás sozinho em meu coração.

Não pude responder nada, pois fomos rodeados de gente, e eu não queria entregar-me diante deles aos sentimentos que me perturbavam. Finalmente, ela partiu. Voltei triste e calado para junto de Zúrin. Ele quis animar-me e, como eu também tivesse vontade de me distrair, passamos o dia com barulho e estouvamento. Ao anoitecer, pusemo-nos em marcha.

Era fins de fevereiro. O inverno, que dificultava as operações militares, estava chegando ao fim, e os nossos generais se preparavam para uma ação combinada. Pugatchóv permanecia parado nas proximidades de Orenburg, enquanto, na mesma região, os nossos destacamentos iam entrando em contato, e de todos os lados se aproximavam do ninho do bandido. À vista de nossas tropas, as aldeias rebeldes submetiam-se. Os bandos de malfeitores, por toda parte, corriam de nós, e tudo pressagiava um pronto e feliz término.

Não tardou muito, e o príncipe Golítsin derrotou Pugatchóv diante da fortaleza Tatíschevo,[45] dispersou as suas tropas, libertou Orenburg e, aparentemente, infligiu à revolta o golpe final e decisivo. Zúrin foi destacado contra um bando de basquires rebeldes, os quais se dispersaram antes que os víssemos. A primavera nos deixou sitiados numa aldeia tártara. Os riachos transbordaram e as estradas se tornaram intransitáveis. Nós nos consolávamos de nossa inatividade com o pensamento de que em breve iria terminar aquela guerra mesquinha e cacete contra bandidos e selvagens.

Mas Pugatchóv não foi capturado. Apareceu nas fábricas da Sibéria, reuniu novos bandos e recomeçou os seus atos de banditismo. Espalhou-se mais uma vez a notícia de seus êxitos. Soubemos da devastação das fortalezas siberianas. Pouco mais tarde, a notícia da tomada de Kazan[46] e da marcha do usurpador sobre Moscou sobressaltou os comandantes de exércitos, que haviam confiado demasiadamente na fraqueza do desprezível rebelde. Zúrin recebeu ordem para atravessar o Volga.

Não vou descrever a nossa campanha e o fim da guerra contra Pugatchóv. Em suma: a calamidade atingiu seu ápice. Passávamos pelos povoados devastados pelo usurpador e, involuntariamente, tirávamos aos infelizes habitantes aquilo que lhes fora poupado. O governo deixara de funcionar por toda parte. Os senhores de terra escondiam-se nas matas. Os bandos de malfeitores agiam em toda a região. Os comandantes dos diferentes destacamentos castigavam e perdoavam ao seu arbítrio. Era terrível a situação em toda a parte

---

[45] A batalha aconteceu em 22 de março de 1774. (N. da E.)
[46] Pugatchóv tomou Kazan naquele 12 de julho. (N. da E.)

do país atingida pelo incêndio. Não permita Deus ver uma revolta russa, insensata e implacável!

Pugatchóv fugiu, perseguido por Ivan Ivânovitch Mikhelson.[47] Logo soubemos de sua derrota total. Finalmente, Zúrin recebeu a notícia do aprisionamento do usurpador e, ao mesmo tempo, a ordem de interromper a marcha. Estava terminada a guerra. Afinal, eu podia ir para a casa de meus pais! Enchia-me de entusiasmo a perspectiva de os abraçar e de ver Maria Ivânovna, de quem não tivera qualquer notícia. Eu pulava como uma criança. Zúrin ria e dizia, erguendo os ombros:

— Não! Vais acabar mal! Vais casar-te, e estarás perdido![48]

No entanto, um sentimento estranho envenenava minha alegria: sobressaltava-me involuntariamente a lembrança do malfeitor, coberto do sangue de tantas vítimas inocentes, e da execução que o aguardava.

— Emeliá, Emeliá![49] — pensava eu com amargura. — Por que não te atravessou uma baioneta ou não te atingiu o fogo da artilharia? Não pudeste inventar coisa melhor?

Que remédio? A lembrança do usurpador estava indissoluvelmente associada em mim ao perdão que me concedera num dos momentos terríveis de sua vida e à libertação de minha noiva das mãos do ignóbil Schwabrin.

Zúrin me concedeu licença. Dentro de alguns dias, eu devia encontrar-me novamente entre os membros de minha família e ver mais uma vez a minha Maria Ivânovna. Mas, de repente, uma tormenta inesperada se abateu sobre mim.

---

[47] Ivan Ivânovitch Mikhelson (1740-1807), comandante militar que liderou as principais batalhas contra o exército de Pugatchóv. A derrota definitiva dos insurgentes ocorreu em 5 de setembro de 1774. (N. da E.)

[48] Aqui se inicia o "Capítulo suprimido" em algumas edições do romance. (N. da E.)

[49] Diminutivo de Emelian. (N. do T.)

No dia marcado para a minha partida, no próprio momento em que me preparava para a viagem, Zúrin entrou na minha isbá, tendo nas mãos uma folha de papel e com um ar muito preocupado. Senti uma pontada no coração. Assustei-me sem saber ainda por quê. Ele fez sair a minha ordenança e declarou que tinha um assunto a tratar comigo.

— Que é? — perguntei sobressaltado.

— Um pequeno contratempo — respondeu ele, passando-me a folha de papel. — Lê isto que eu acabo de receber.

Comecei a lê-la: era uma ordem secreta a todos os comandantes de destacamentos para efetuar a minha prisão, onde quer que me encontrassem, e enviar-me imediatamente sob escolta para Kazan, onde funcionava a comissão de inquérito formada para tratar da revolta de Pugatchóv.

O papel quase me caiu das mãos.

— Que posso fazer? — disse Zúrin. — O dever me obriga a obedecer à ordem. Provavelmente, a notícia de tuas viagens amistosas em companhia de Pugatchóv chegou de algum modo ao conhecimento do Governo. Espero que o caso não tenha consequências e que possas justificar-te perante a comissão. Não fiques triste e põe-te em viagem.

Eu tinha a consciência tranquila e não temia o julgamento. Assustava-me, porém, a perspectiva de adiar, talvez por mais alguns meses, o momento de minha doce entrevista. O carro estava preparado. Zúrin despediu-se amistosamente de mim. Fizeram-me sentar no carro. Dois hussardos de sabres desembainhados subiram comigo, e pusemo-nos a caminho.

## XIV.
## O JULGAMENTO

A fala do mundo é como a onda do mar.

Provérbio

Eu tinha certeza de que tudo aquilo era consequência de minha saída de Orenburg sem permissão. Poderia justificar-me facilmente: as guerrilhas a cavalo não só eram permitidas, como até se fomentavam por todos os meios. Podiam acusar-me de ardor excessivo, mas não de desobediência. Mas as minhas relações amistosas com Pugatchóv, que poderiam ser atestadas por muitos, deveriam parecer pelo menos bastante suspeitas. Por todo o caminho, fiquei pensando nos interrogatórios que me aguardavam, refleti sobre as minhas respostas e resolvi declarar toda a verdade perante o tribunal, supondo que tal método de justificação seria o mais simples e, ao mesmo tempo, o mais convincente.

Cheguei a Kazan devastada e incendiada. Nas ruas, em lugar das casas, havia montões de escombros, dos quais se destacavam as paredes chamuscadas, sem janelas nem telhados. Tais eram os vestígios deixados por Pugatchóv! Fui levado para a fortaleza, que ficara intacta no centro da cidade incendiada. Os hussardos me entregaram ao oficial da guarda, que mandou chamar o ferreiro. Prenderam-me os pés com uma corrente reforçada. Em seguida, levaram-me para a prisão e me deixaram sozinho num calabouço apertado e escuro, de paredes nuas e com uma janelinha provida de grade de ferro. Um tal começo não pressagiava nada de bom. Todavia, não perdi o ânimo, nem as esperanças. Recorri ao consolo de todos os aflitos e, provando pela primeira vez as doçuras da oração, que brotava de um coração puro, ainda que dilacerado, adormeci calmamente, sem me preocupar com o futuro.

No dia seguinte, o guarda da prisão me acordou, declarando-me que exigiam o meu comparecimento perante a comissão de inquérito. Dois soldados me conduziram, através do pátio, para a casa do comandante, pararam no vestíbulo e me deixaram entrar sozinho nas dependências internas.

Entrei numa sala bastante espaçosa. Havia dois homens sentados à mesa coberta de papéis: um general de meia-idade, de ar frio e severo, e um capitão da guarda, de uns vinte e oito anos, de aparência muito agradável e maneiras vivas e desembaraçadas. Junto à janela, um secretário estava sentado diante de outra mesa, com uma pena atrás da orelha e inclinado sobre o papel, pronto a anotar o meu depoimento. Começou o interrogatório. Perguntaram-me o nome e o posto. O general quis saber se eu não era filho de Andrei Petróvitch Griniov. E, ouvindo a minha resposta, replicou severamente:

— É pena que um homem tão respeitável tenha um filho indigno!

Respondi calmamente que, por piores que fossem as acusações assacadas contra mim, esperava desvanecê-las expondo sinceramente a verdade. A minha certeza não lhe agradou.

— És esperto, meu velho — disse ele, franzindo o sobrecenho —, mas nós já tratamos com gente ainda mais viva!

O jovem oficial me perguntou em que circunstância e em que época tinha eu entrado para o serviço de Pugatchóv e em que missões fora aproveitado.

Respondi indignado que, na qualidade de oficial e fidalgo, não podia ter entrado para o serviço de Pugatchóv, nem ter executado para ele quaisquer missões.

— De que modo, então — replicou o meu interrogador

—, o oficial e fidalgo é o único a ter sido poupado pelo usurpador, enquanto todos os seus colegas foram sacrificados? E como é que este mesmo oficial e fidalgo senta-se amistosamente à mesa com rebeldes e aceita do malfeitor principal, como presente, uma peliça, um cavalo e meio rublo em dinheiro? Por que tiveram lugar tão estranhas relações de amizade e em que se baseavam, senão na traição ou pelo menos numa torpe e criminosa fraqueza?

Eu estava profundamente ofendido pelas palavras do oficial da guarda e comecei a defender-me com ardor. Contei como havia conhecido Pugatchóv no meio da estepe, durante uma tempestade de neve, e como ele me conhecera e poupara durante a tomada de Belogórskaia. Disse que realmente não vira nenhum mal em aceitar o casaco e o cavalo com que o usurpador me presenteara, mas que havia defendido a fortaleza de Belogórskaia até o último extremo. Finalmente, referi-me ao meu general, que poderia testemunhar o meu zelo durante o calamitoso sítio de Orenburg.

O velho severo apanhou sobre a mesa uma carta aberta e começou a lê-la em voz alta:

"Respondendo ao pedido de informações feito por Vossa Excelência, referente ao subtenente Griniov, que estaria comprometido na atual sublevação e teria entrado em relações com o malfeitor, incompatíveis com as obrigações de serviço e com o juramento de fidelidade, tenho a honra de expor o seguinte: o referido subtenente Griniov encontrava-se em Orenburg, a serviço, desde começo de outubro do ano passado (1773) até 24 de fevereiro do corrente ano; afastou-se da cidade nessa data e não apareceu mais na guarnição sob meu comando. Entretanto, alguns trânsfugas declararam que ele esteve no arrabalde dominado por Pugatchóv e, juntamente com ele, foi à fortaleza Belogórskaia, na qual servira anteriormente. No que se refere ao seu comportamento, posso..."

Nesse ponto, interrompeu a leitura e me perguntou severamente:

— Que dirás agora em tua defesa?

Quis prosseguir como havia começado e explicar as minhas relações com Maria Ivânovna com a mesma franqueza com que relatara o resto, mas de repente senti uma repugnância invencível. Ocorreu-me que, se eu me referisse a ela, a comissão iria exigir a sua presença, e a ideia de ver o seu nome entre aquelas sórdidas denúncias de bandidos, e que talvez pudesse obrigá-la a uma acareação com eles, pareceu-me tão terrível que me atordoou e me deixou completamente confuso.

Os meus juízes, que já começavam aparentemente a ouvir as minhas respostas com alguma complacência, tornaram a sentir certa prevenção contra mim, ao ver o meu estado de confusão. O oficial da guarda exigiu que me levassem para uma acareação com o principal denunciante. O general mandou chamar o "bandido de ontem". Voltei-me com vivacidade para a porta, esperando o aparecimento de meu acusador. Momentos mais tarde, ouviu-se um tinir de correntes, abriu-se a porta e entrou... Schwabrin. Surpreendeu-me a transformação que sofrera. Estava terrivelmente magro e pálido. Os seus cabelos, que ainda recentemente eram negros como piche, haviam branqueado completamente, e a sua barba comprida estava toda eriçada. Repetiu a acusação, com voz débil, mas decidida. Declarou que Pugatchóv me mandara para Orenburg na qualidade de espião, que eu tomava parte diariamente em tiroteios, para transmitir informações escritas sobre tudo que se passava na cidade e que, por fim, eu passara abertamente para o lado do usurpador e viajava com ele de fortaleza em fortaleza, procurando por todos os modos causar a perda de meus companheiros de traição, para tirar-lhes os lugares e aproveitar os prêmios distribuídos pelo usurpador. Ouvi em silêncio a acusação e fiquei satisfeito por uma circunstância: o nome de Maria Ivânovna não foi proferido pelo asqueroso malfeitor, quiçá porque o seu amor-próprio sofresse com a lembrança daquela que o repelira com desprezo, ou talvez por que em seu coração ainda existisse uma chispa daquele mesmo sentimento que me obrigava também a calar. Em todo caso, o nome da filha do comandante de Belogórskaia não foi pronunciado perante a comissão de inquérito. Aferrei-me ainda mais ao meu propósito e, quando os juízes me perguntaram "como poderia desmentir o depoimento de Schwabrin", respondi que me atinha às primeiras declarações que fizera e nada mais podia dizer em minha defesa. O general mandou conduzir-nos fora da sala. Saímos juntos. Olhei calmamente para Schwabrin, mas não lhe disse palavra. Ele abriu um sorriso maldoso e, erguendo um pouco as correntes, adiantou-se a mim e apressou o passo. Fui levado novamente para a prisão, e não me chamaram mais para depor.

Não fui testemunha de tudo o que me falta para informar o leitor, mas ouvi contá-lo tantas vezes, que as menores minúcias se gravaram em minha memória, de modo que me parece havê-lo presenciado.

A notícia de minha prisão surpreendeu toda a minha família. Maria Ivânovna contara com tanta simplicidade as minhas relações com Pugatchóv, que elas não somente não os preocupavam, mas até os faziam rir de todo o coração. Meu pai não queria acreditar em que eu estivesse implicado na sórdida revolta, cujo objetivo era a derrubada do trono e o aniquilamento da nobreza. Ele interrogou Savélitch com severidade. O preceptor não negou que o patrão fora hóspede de Emelka Pugatchóv e que o malfeitor de fato o presenteara, mas jurava que nada sabia de qualquer traição. Os velhos se tranquilizaram e passaram a esperar com impaciência notícias mais favoráveis. Maria Ivânovna estava muito inquieta, mas permanecia calada, porque possuía no mais alto grau o senso da discrição e da prudência.

Passaram-se algumas semanas... De repente, meu pai recebeu de Petersburgo uma carta do Príncipe B., nosso parente. O príncipe escrevia a meu respeito. Depois do preâmbulo habitual, participava que as suspeitas de minha conivência com os rebeldes eram infelizmente muito fundadas, que eu devia ser condenado à pena capital, mas que a tsarina, por consideração aos serviços prestados e à respeitável idade de meu pai, decidira indultar o filho criminoso e, livrando-o da execução infamante, enviá-lo em exílio perpétuo para uma região remota da Sibéria.

Este golpe inesperado quase matou meu pai. Perdeu a firmeza habitual, e a sua dor, que sempre fora muda, prorrompia agora em amargas queixas:

— O quê! — repetia fora de si. — O meu filho tomou parte nos planos de Pugatchóv! Deus misericordioso, o que me foi dado viver! A tsarina o indulta da pena de morte! Mas pode isso ser um alívio para mim? O terrível não é a execução: o avô de meu bisavô morreu no patíbulo, defendendo o que considerava o mais sagrado de sua consciência. Meu pai sofreu perseguições, juntamente com Volínski e Khruschóv.[50] Mas, um fidalgo faltar ao juramento e unir-se a bandidos, assassinos e servos fugidos! É uma vergonha e uma humilhação para toda a nossa estirpe!

Assustada com o seu desespero, minha mãe não ousava chorar na presença dele e procurava animá-lo, dizendo-lhe que as notícias deviam ser inexatas e lembrando-lhe a versatilidade da opinião pública. Meu pai, porém, continuava inconsolável.

---

[50] Artiêmi Volínski (1689-1740) e Andrei Khruschóv (1691-1740), aristocratas e conselheiros de Ana da Rússia. Em 1740 foram presos e executados por liderarem uma disputa de poder contra Ernst von Biron. (N. da E.)

Maria Ivânovna sofria mais que todos. Estando convencida de que eu poderia justificar-me quando quisesse, ela adivinhava a verdade e considerava-se culpada de minha desgraça. Ocultava de todos suas lágrimas e sua dor, mas pensava incessantemente nos meios de me salvar.

Certa vez, à noitinha, meu pai estava sentado no divã, folheando o *Calendário da Corte*, mas o seu pensamento estava longe, e a leitura não produzia nele o efeito habitual. Estava assobiando uma antiga marcha. Minha mãe tricotava em silêncio, ocupada com uma camiseta de lã, e as lágrimas caíam de quando em quando sobre a peça. De repente, Maria Ivânovna, que também estava fazendo um trabalho, declarou que tinha necessidade de ir a Petersburgo e pediu que lhe proporcionassem os meios de fazer a viagem. Minha mãe se afligiu muito.

— Para que precisas ir a Petersburgo? — disse ela. — Será possível, Maria Ivânovna, que também nos queres deixar?

Maria Ivânovna respondeu que todo o seu futuro dependia daquele passo, e que ela ia procurar proteção e auxílio de pessoas influentes, na qualidade de filha de um homem que se sacrificara por sua fidelidade.

Meu pai deixou cair a cabeça: qualquer palavra que lhe lembrasse o suposto crime de seu filho pesava-lhe e parecia uma censura mordaz.

— Vai, minha filha — disse, com um suspiro —, não nos vamos opor à tua felicidade. Mas que Deus te dê por noivo um homem de bem e não um traidor desonrado.

Ergueu-se e saiu da sala.

Ficando a sós com minha mãe, Maria Ivânovna explicou-lhe em parte as suas suposições. Minha mãe abraçou-a com lágrimas nos olhos e rezou pelo bom resultado da empresa. Proporcionaram-lhe o necessário para a viagem e, alguns dias mais tarde, ela partiu, acompanhada pela fiel Palachka e pelo bom Savélitch, o qual, separado de mim à força, consolava-se ao menos com a ideia de servir a minha noiva.

Maria Ivânovna chegou sem dificuldades aos arredores da capital e, sabendo que a corte se encontrava em Tsarskoie Sieló, decidiu parar ali. Ficou alojada na estação da posta, num compartimento acanhado, atrás de um tabique.

A esposa do encarregado entabulou conversa com ela, declarou-lhe que era sobrinha do acendedor de lareiras do palácio, e a informou de todos os segredos da vida na corte. Contou-lhe a que horas, geralmente, a tsarina se levantava, tomava café e dava um passeio; que dignitários a acompanhavam nessa ocasião, o que ela dissera à mesa, na véspera; a quem havia recebido de tarde, etc... Em suma, a conversa de Anna Vlássievna valia por algumas páginas de monografia histórica e seria preciosa para a posteridade. Maria Ivânovna ouvia-a com atenção. Foram ao jardim. Anna Vlássievna contou-lhe a história de cada alameda e cada ponte e, tendo passeado bastante, regressaram à estação de posta, muito satisfeitas uma com a outra.

No dia seguinte, de manhã bem cedo, Maria Ivânovna acordou, vestiu-se e foi furtivamente ao parque. A manhã estava magnífica, o sol iluminava os cimos das tílias, amarelecidas já pelo sopro fresco do outono. O lago de margens afastadas estava imóvel e brilhava. Os cisnes recém-acordados deslizavam solenemente para fora dos arbustos à beira do lago. Maria Ivânovna passou por um belo prado, onde acabavam de colocar o monumento comemorativo das recentes vitórias do conde Piotr Aleksandrovitch Rumiántsev.[51] De repente, uma cadelinha branca, de raça inglesa, correu latindo ao seu encontro. Naquele mesmo instante, ouviu-se uma agradável voz feminina:

---

[51] Menção ao obelisco inaugurado em 1772 para celebrar a vitória do general Rumiántsev (1744-1796) na batalha de Kagul (1770), durante a Guerra Russo-Turca. (N. da E.)

— Não tenha medo, ela não morde.

Maria Ivânovna viu uma senhora sentada num banco em frente ao monumento. Sentou-se na outra extremidade do banco. A senhora olhou para ela fixamente. Maria Ivânovna, por sua vez, lançou-lhe uns olhares furtivos e pôde examiná-la da cabeça aos pés. Ela estava de vestido branco matinal, de touca de dormir e um casaquinho. Aparentava uns quarenta anos. O seu rosto, cheio e corado, expressava importância e tranquilidade, enquanto os olhos azuis-celestes e o sorriso ligeiro tinham um encanto inexplicável. A senhora foi a primeira a interromper o silêncio.

— A senhorita não é daqui, não é verdade?

— Exatamente: cheguei ontem da província.

— Veio com os pais?

— Não, cheguei sozinha.

— Sozinha! Mas é tão jovem...

— Não tenho pai nem mãe.

— Naturalmente, está aqui para tratar de algum caso?

— Exato: vim para fazer um pedido à tsarina.

— A senhorita é órfã: provavelmente, vai fazer uma queixa contra uma injustiça ou uma ofensa?...

— Não, eu vim pedir clemência e não justiça.

— Permita-me perguntar quem é?

— Sou a filha do capitão Mirónov.

— Do capitão Mirónov! Daquele mesmo que comandava uma fortaleza do governo de Orenburg?

— Exatamente.

A senhora pareceu comovida.

— Desculpe-me — disse ela com uma voz ainda mais carinhosa — se me intrometo em seus negócios, mas eu costumo frequentar a corte. Explique-me em que consiste o seu pedido e talvez eu lhe possa ser útil.

Maria Ivânovna se ergueu e agradeceu respeitosamente. Tudo na desconhecida atraía involuntariamente a afeição e infundia confiança. Maria Ivânovna tirou do bolso um papel dobrado e passou-o à sua desconhecida protetora, que começou a lê-lo para si.

A princípio, lia com ar atento e complacente. Mas, de repente, o seu rosto mudou de expressão, e Maria Ivânovna, que acompanhava com os olhos todos os seus movimentos, assustou-se com a expressão severa daquele rosto, que até há pouco parecia tão agradável e tranquilo.

— A senhorita pede clemência para Grinióv? — perguntou a senhora com frieza. — A imperatriz não lhe pode conceder perdão. Ele aderiu ao usurpador, não por ignorância ou inconsciência, mas como um miserável e pernicioso desalmado.

— Ah, não é verdade! — exclamou Maria Ivânovna.

— Como, não é verdade?! — replicou a senhora, e o sangue subiu-lhe à cabeça.

— Não é verdade, por Deus que não é verdade! Eu sei tudo e vou contar-lhe. Foi unicamente por minha causa que ele se expôs a tudo o que aconteceu. E se não conseguiu justificar-se perante o tribunal, foi porque não queria implicar-me no assunto.

E ela contou com ardor tudo o que o meu leitor já conhece.

A senhora ouviu-a com atenção.

— Onde ficou alojada? — perguntou ela e, ouvindo o nome de Anna Vlássievna, acrescentou com um sorriso: — Ah, já sei. Adeus, e não fale a ninguém do nosso encontro. Espero que a senhorita não precise esperar por muito tempo uma resposta à sua carta.

Dito isso, ergueu-se e caminhou em direção de uma alameda coberta, enquanto Maria Ivânovna voltava para casa de Anna Vlássievna, cheia de jubilosa esperança.

A dona da casa censurou-a por aquele passeio matinal no outono, o qual, segundo dizia, era muito prejudicial à saúde de uma moça. Trouxe o samovar e recomeçou, diante de uma xícara de chá, as suas intermináveis histórias sobre a corte, quando, de súbito, uma carruagem do palácio parou à porta da casa e um lacaio entrou, dizendo que a tsarina estava convidando a Srta. Mirónova a visitá-la no palácio.

Anna Vlássievna ficou estupefata e atarantou-se.

— Ah, meu Deus! — exclamou ela. — A tsarina manda chamá-la. Como foi que ela soube de seu caso? E como é que vai apresentar-se à imperatriz? Com certeza, não sabe sequer dar os passos de praxe... Não será melhor que eu a acompanhe? Poderia ajudá-la em alguma coisa pelo menos. E como é que vai apresentar-se com traje de viagem? Talvez seja conveniente pedir à parteira que nos empreste o seu vestido amarelo?

O lacaio disse que a tsarina queria que Maria Ivânovna fosse sozinha e vestida como estivesse na ocasião. Não havia remédio: Maria Ivânovna sentou-se na carruagem e foi para o palácio, acompanhada pelos conselhos e pelas bênçãos de Anna Vlássievna.

Maria Ivânovna pressentia a decisão de nossa sorte, e o coração batia-lhe com força, confrangendo-se por momentos. Pouco depois, a carruagem parava diante do palácio. Maria Ivânovna subiu trêmula a escada. Diante dela, as portas se abriram de par em par, e ela atravessou grande número de magníficas salas desertas. O lacaio mostrava-lhe o caminho. Finalmente, chegou a uma porta fechada, disse que ia comunicar a sua chegada e deixou-a sozinha.

A ideia de ver a imperatriz frente a frente assustava-a a tal ponto que ela mal podia ficar em pé. Pouco depois, a porta se abriu e ela entrou no quarto de vestir da tsarina.

A imperatriz estava sentada diante do toucador. Alguns cortesãos que a rodeavam cederam caminho a Maria Ivânovna com expressão respeitosa. A tsarina dirigiu-se a ela carinhosamente e Maria Ivânovna reconheceu aquela mesma senhora com quem se explicara tão francamente, alguns momentos antes. A tsarina a chamou e disse com um sorriso:

— Estou contente por ter podido cumprir a minha palavra e satisfazer o seu pedido. O seu caso está resolvido. Estou convencida da inocência de seu noivo. Eis a carta que lhe peço levar pessoalmente a seu futuro sogro.

Maria Ivânovna recebeu a carta com mão trêmula e caiu chorando aos pés da imperatriz, que a levantou e beijou. A tsarina entabulou conversa com ela.

— Sei que não é rica — disse —, mas eu estou em dívida com a filha do capitão Mirónov. Não se preocupe com o futuro. Encarrego-me de prover o seu bem-estar.

Depois de acarinhar a pobre órfã, a tsarina a deixou partir. Maria Ivânovna voltou na mesma carruagem do palácio. Anna Vlássievna, que esperava ansiosamente o seu regresso, cobriu-a de perguntas, às quais Maria Ivânovna respondia um pouco evasivamente. Anna Vlássievna estava muito descontente com a sua falta de memória, mas acabou por atribuí-la a uma timidez provinciana e perdoou-lhe generosamente. Maria Ivânovna, sem se interessar sequer por uma visita a Petersburgo, voltou para a aldeia no mesmo dia...

*  *  *

Aqui terminam as anotações de Piotr Andrêievitch Grinióv. Sabe-se, por tradição familiar, que ele saiu da prisão em fins de 1774, por ordem expressa da imperatriz, e que presenciou a execução de Pugatchóv, o qual, reconhecendo-o entre a multidão, fez-lhe um adeus com a cabeça, que foi exibida ao povo, instantes mais tarde, sem vida e ensanguentada. Pouco depois, Piotr Andrêievitch casou-se com Maria Ivânovna. Os seus descendentes vivem até hoje, em franca prosperidade, no governo de Simbirsk. A trinta verstas de *** fica uma povoação pertencente a certos fidalgos da mesma família. Numa das casas senhoriais da propriedade, existe, emoldurada e coberta de vidro, uma carta escrita pela mão de Catarina II. Ela foi escrita ao pai de Piotr Andrêievitch e contém a absolvição de seu filho, bem como elogios à inteligência e aos bons sentimentos da filha do capitão Mirónov.

O manuscrito de Piotr Andrêievitch Grinióv foi-nos entregue por um de seus netos, que soube estarmos ocupados com um trabalho referente à época descrita pelo seu avô. Resolvemos, com a devida permissão dos parentes, editá-lo separadamente, depois de acrescentar a cada capítulo uma epígrafe conveniente, e permitindo-nos alterar alguns nomes próprios.

O Editor
19 de outubro de 1836[52]

---

[52] No "Manuscrito limpo", a data é 28 de julho de 1836. (N. da E.)

# APÊNDICES

# CAPÍTULO SUPRIMIDO[1]

Aproximamo-nos das margens do Volga. O nosso regimento entrou na aldeia de \*\*\* e parou para o pernoite. Devíamos atravessar o rio na manhã seguinte. O prefeito me disse que, na margem oposta, todas as aldeias se tinham revoltado e que os bandos de Pugatchóv andavam por toda a região. Esta notícia me causou forte inquietação. A impaciência apoderou-se de mim e não me deixou sossegar. A aldeia de meu pai ficava do outro lado, a trinta verstas. Perguntei se não haveria alguém que me levasse para a margem oposta. Todos os aldeãos eram pescadores e havia muitos barcos. Fui falar com Zúrin e comuniquei-lhe a minha intenção.

— Toma cuidado — disse-me ele —, é perigoso ir sozinho. Espera o raiar do dia. Seremos os primeiros a atravessar o rio, e iremos de visita a teus parentes, acompanhados de cinquenta hussardos, para qualquer eventualidade.

Insisti, apesar de tudo. O barco estava pronto. Sentei-me nele, com dois remadores. Desatracaram a embarcação e começaram a remar.

---

[1] Este capítulo, excluído pelo autor, foi encontrado em 1880 em meio aos papéis de Púchkin numa pasta com o título "Capítulo suprimido". Podemos inferir que o capítulo pertencia a uma versão anterior do romance pelo fato de nele o herói Griniov ainda se chamar Bulánin, e o personagem Zúrin se chamar Griniov (aqui os nomes estão atualizados). Nas primeiras publicações da tradução de Boris Schnaiderman, o "Capítulo suprimido" estava integrado ao texto do romance (ver p. 145 deste volume). Nossa opção por separá-lo é explicada na "Nota da edição". (N. da E.)

O céu estava claro. Brilhava a lua. Era tempo estável. O Volga deslizava plácida e regularmente. O barco balançava harmoniosamente, resvalando sobre a superfície das ondas escuras. Passou-se perto de meia hora. Mergulhei em sonhos, nos quais se mesclavam a natureza tranquila, os terríveis acontecimentos políticos, o amor, etc... Atingimos o meio do rio. De repente, os remadores começaram a murmurar entre si.

— Que é? — perguntei, voltando a mim.

— Não sabemos — responderam os remadores, olhando sempre para o mesmo lugar.

Os meus olhos seguiram a mesma direção e vi nas trevas algo que deslizava rio abaixo. O objeto desconhecido aproximava-se de nós. Ordenei aos remadores que se detivessem e o esperassem.

A lua se escondeu atrás de uma nuvem. O vulto flutuante tornou-se mais escuro. Já estava perto de mim, mas eu ainda não podia distinguir de que se tratava.

— Que será? — perguntavam os remadores. — Não é vela, não é mastro.

De repente, a lua saiu de trás da nuvem e iluminou um espetáculo terrível. Ao nosso encontro, vinha uma forca erguida sobre uma jangada. Três corpos pendiam do travessão. Uma curiosidade mórbida tomou conta de mim. Quis olhar para os rostos dos enforcados.

Dei ordem aos remadores para que atracassem o barco na jangada, e ele se chocou com a forca flutuante. Pulei fora e me achei entre os postes lúgubres. A lua cheia iluminava os rostos desfigurados daqueles infelizes... Um deles era um velho chuvache, e outro um camponês russo, um rapagão forte e sadio, de uns vinte anos. Olhando para o terceiro, experimentei forte emoção e não pude conter um grito de lástima: era Vanka,[2] o meu pobre Vanka, que havia aderido a

---

[2] Diminutivo de Ivan. (N. do T.)

Pugatchóv por estupidez. Sobre eles estava pregada uma tábua negra, com dizeres pintados em branco: "Ladrões e rebeldes". Os barqueiros me esperavam com indiferença, mantendo a jangada presa com o gancho. Sentei-me novamente no barco. A jangada deslizou rio abaixo. Por muito tempo ainda, a forca negrejou na treva. Finalmente desapareceu, e o meu barco atracou à margem alta e escarpada.

Recompensei generosamente os barqueiros. Um deles me levou ao prefeito da aldeia mais próxima. Entramos juntos na isbá. Ao saber que eu queria cavalos, o prefeito me recebeu com bastante rispidez, mas o meu guia lhe disse algumas palavras em voz baixa, e a sua atitude se transformou em ativa solicitude. Num instante, a troica ficou pronta. Sentei-me no carro e mandei que me levassem à nossa aldeia.

Corríamos a trote pela estrada larga, passando por aldeias adormecidas. Eu só tinha medo de uma coisa: ser detido no caminho. Se o meu encontro noturno sobre o Volga testemunhava a presença dos rebeldes, ao mesmo tempo provava uma enérgica resistência por parte do Governo. Para qualquer eventualidade, tinha no bolso o salvo-conduto fornecido por Pugatchóv e uma ordem de Zúrin. Mas não encontrei ninguém e, de manhã, vi o rio e o bosque de pinheiros atrás do qual ficava a nossa aldeia. O cocheiro fustigou os cavalos, e um quarto de hora mais tarde eu entrava em \*\*\*. A casa senhorial ficava na extremidade oposta do povoado. Os cavalos corriam a toda a velocidade. De repente, no meio da rua, o cocheiro começou a contê-los.

— Que é? — perguntei com impaciência.

— Uma barreira, patrão — respondeu o cocheiro, fazendo parar com dificuldade os cavalos enfurecidos.

Com efeito, vi uma barreira e uma sentinela armada de cacete. O mujique aproximou-se de mim e, tirando o chapéu, pediu-me o passaporte.

— Que significa isso? — perguntei. — Para que esta barreira? Quem é que estás guardando?

— É que, paizinho, estamos em revolta — respondeu ele, coçando-se.

— E onde estão os amos de vocês? — perguntei, sentindo confranger-se-me o coração.

— Onde estão os nossos amos? — repetiu o mujique. — Os nossos amos estão no depósito de trigo.

— Como? No depósito?

— O Andriúchkha[3] do *zemstvo*[4] mandou agrilhoá-los e quer levá-los ao paizinho tsar.

— Meu Deus! Abre a barreira, imbecil. Por que ficas aí parado?

A sentinela não se apressava. Pulei do carro, dei-lhe, com o perdão da palavra, uma chapoletada na orelha e abri sozinho a barreira. O mujique me olhava com um ar idiota de estupefação. Sentei-me de novo no carro e mandei seguir para a casa senhorial.

O depósito de trigo ficava no pátio. Junto à porta fechada, havia dois mujiques igualmente armados de cacetes. O carro parou bem em frente deles. Pulei para fora e lancei-me em sua direção.

— Abram a porta! — gritei.

O meu aspecto devia ser muito terrível. Pelo menos, ambos largaram os cacetes e saíram correndo. Tentei arrombar a fechadura ou arrancá-la da porta; mas esta era de ferro, e a enorme fechadura, absolutamente invulnerável. Naquele momento, um jovem mujique saiu da isbá dos servos e, com um ar superior, perguntou-me como eu me atrevia a praticar desordens.

— Onde está Andriúchkha do *zemstvo*? — gritei-lhe. — Chame-o para mim!

— Eu próprio sou Andrei Afanássievitch e não Andriú-

---

[3] Diminutivo de Andrei. (N. do T.)

[4] Câmara administrativa local. (N. do T.)

chkha — respondeu ele, pondo a mão no quadril, numa postura cheia de orgulho. — Que deseja?

Em vez de responder, agarrei-o pela gola e, trazendo-o até a porta do depósito, mandei abri-la. Tentou resistir, mas o castigo paternal teve efeito sobre ele também. Tirou do bolso a chave e abriu a porta do depósito. Lancei-me através do umbral e vi meus pais, num canto escuro, fracamente iluminado por uma estreita abertura no teto. Tinham as mãos amarradas e os pés agrilhoados. Atirei-me a eles para abraçá-los, e não podia dizer palavra. Ambos me olhavam estupefatos: os três anos de vida militar haviam me transformado a tal ponto que eles não me podiam reconhecer.

De súbito, ouvi uma voz doce e conhecida. "Piotr Andrêitch! É o senhor?" Voltei-me e vi, noutro canto, Maria Ivânovna igualmente amarrada. Fiquei petrificado. Meu pai me olhava em silêncio, sem ousar acreditar no que seus olhos viam. A alegria brilhava em seu rosto.

— Bom dia, bom dia, Petrucha! — dizia, apertando-me ao coração. — Graças a Deus, chegou o dia de te ver!

Minha mãe soltou uma exclamação e rompeu em pranto.

— Meu Petrucha! — dizia ela. — Como viestes até aqui? Estás bem de saúde?

Apressei-me a cortar com o sabre os nós das cordas com que estavam atados e tirá-los da prisão. Mas, chegando à porta, encontrei-a novamente fechada.

— Andriúchkha! — gritei. — Abre!

— Era o que faltava! — respondeu ele do outro lado. — Vamos ensinar-te a fazer desordens e arrastar pela gola os funcionários do tsar!

Comecei a examinar o depósito, procurando algum meio de sair para fora.

— Não te incomodes — disse meu pai. — Não sou tal patrão que se possa à vontade sair e entrar, por passagens escusas, nos meus depósitos.

"Capítulo suprimido"

Minha mãe, que se havia alegrado por alguns instantes com a minha chegada, ficou desesperada, vendo que eu também tinha de partilhar o extermínio de toda a família. Mas eu estava mais calmo, a partir da momento em que me reuni a eles e a Maria Ivânovna. Tinha comigo um sabre e duas pistolas e podia resistir a um assédio. Zúrin devia chegar ao anoitecer e libertar-nos. Comuniquei tudo a meus pais e consegui acalmar minha mãe e Maria Ivânovna. Elas se entregaram completamente à alegria de me encontrar novamente, e algumas horas se passaram, imperceptivelmente para nós, entre carinhos e conversas ininterruptas.

— Bem, Piotr — disse meu pai —, fizeste muitas diabruras e eu estive bem zangado contigo. Mas agora não devemos recordar coisas passadas. Espero que estejas corrigido e farto de traquinagens. Sei que prestaste serviços como oficial honesto. Obrigado, consolaste este pobre velho. Se eu te ficar devendo a libertação, a vida me será duas vezes mais agradável.

Beijei-lhe a mão com lágrimas nos olhos e fiquei olhando para Maria Ivânovna, que estava tão contente com a minha presença que parecia absolutamente calma e feliz.

Perto do meio-dia, ouvimos gritos e um barulho incomum.

— Que será? — perguntou meu pai. — Talvez tenha chegado o teu coronel?

— Impossível — respondi —, ele não estará aqui antes do anoitecer.

O barulho aumentava. Tocavam a rebate. Homens a cavalo galopavam pelo pátio. Naquele momento, a cabeça branca de Savélitch passou pela abertura estreita na parede, e o meu pobre preceptor disse, com voz lastimosa:

— Andrei Petróvitch! Meu paizinho Piotr Andrêitch! Maria Ivânovna! Aconteceu uma desgraça! Os malfeitores entraram na povoação. E sabes, Piotr Andrêitch, quem os conduz? Aleksei Ivânitch Schwabrin, que o diabo o carregue!

Ouvindo o nome odiado, Maria Ivânovna agitou os braços e ficou imóvel.

— Escuta! — disse eu a Savélitch. — Manda alguém a cavalo, até o rio, ao encontro do regimento de hussardos, e comunica ao coronel o perigo em que nos encontramos.

— Mas quem é que vou mandar, senhor? Todos os moleques aderiram à revolta, os cavalos foram tomados. Raios! Já estão no pátio! Estão chegando ao depósito.

Naquele momento, ouviram-se algumas vozes do outro lado da porta. Fiz para minha mãe e Maria Ivânovna sinal de que se afastassem para um canto, desembainhei o sabre e encostei-me à parede, junto à porta. Meu pai tomou as pistolas, engatilhou-as e ficou ao meu lado. Rechinou a fechadura, a porta se abriu e apareceu a cabeça do membro do *zemstvo*. Bati nela com o sabre, e ele caiu, obstruindo a entrada. Naquele momento, meu pai atirou através da porta. A multidão que nos assediava dispersou-se com imprecações. Carreguei o ferido através do umbral e fechei a porta com um trinco.

O pátio estava repleto de homens armados. Entre eles, reconheci Schwabrin.

— Não se assustem — disse eu às mulheres —, temos esperanças. E o senhor, meu pai, não atire mais. Poupemos as últimas balas.

Minha mãe rezava para si. Maria Ivânovna estava ao lado dela, esperando com tranquilidade angelical a decisão de sua sorte. Do outro lado da porta, ressoavam ameaças, insultos e maldições. Eu permanecia no mesmo lugar, pronto a estraçalhar o primeiro valente que aparecesse. De repente, os malfeitores silenciaram. Ouvi a voz de Schwabrin, que me chamava pelo nome.

— Estou aqui. Que queres?

— Entrega-te, Grinióv. É inútil qualquer resistência. A teimosia não te salvará. Vou chegar até aí!

— Experimenta, traidor!

— Não quero arriscar-me inutilmente, nem jogar com a vida de meus homens, mas vou mandar incendiar o depósito. Vamos ver o que farás então, Dom Quixote de Belogórskaia. Agora, está na hora de almoçar. Por enquanto, fica aí e reflete. Até a vista! Maria Ivânovna, eu não lhe peço desculpas: naturalmente, não se aborrecerá no escuro com o seu cavaleiro.

Schwabrin se afastou, deixando sentinelas junto ao depósito. Permanecemos calados. Cada um de nós meditava sozinho, não ousando comunicar os seus pensamentos aos demais. Fiquei imaginando tudo o que era capaz de fazer o enraivecido Schwabrin. Quase não me preocupava comigo. Não sei se devo confessá-lo, mas o destino de meus pais não me assustava tanto como a sorte de Maria Ivânovna. Sabia que minha mãe era adorada pelos camponeses e pela criadagem. Meu pai, apesar da sua severidade, era igualmente estimado, pois era justo e conhecia as reais necessidades dos homens que lhe eram subordinados. A revolta deles era um engano, uma embriaguez passageira, e não uma explosão de sua indignação. Em seu caso, era também provável o perdão. E Maria Ivânovna? Que sorte lhe reservava aquele homem devasso e sem consciência?! Não ousava fixar-me neste pensamento terrível, e estava disposto (que Deus me perdoe!) a matá-la, antes que vê-la, pela segunda vez, nas mãos do inimigo cruel.

Ainda se passou perto de uma hora. Na aldeia, ressoavam as canções dos bêbedos. As sentinelas que nos guardavam sentiam inveja e, aborrecidas por nossa causa, procuravam assustar-nos com a tortura e a morte. Esperávamos o cumprimento das ameaças de Schwabrin. Finalmente, houve grande movimento do pátio, e ouvimos novamente a voz de Schwabrin.

— O que resolveram? Entregam-se voluntariamente às minhas mãos?

Ninguém respondeu.

Depois de esperar um pouco. Schwabrin mandou trazer palha. Pouco depois, as chamas se ergueram, iluminando o depósito escuro. A fumaça começou a passar pelas fendas da porta.

Naquele momento, Maria Ivânovna acercou-se de mim e disse em voz baixa, tomando-me pela mão:

— Basta, Piotr Andrêitch! Não se sacrifique, nem aos seus pais, por minha causa. Schwabrin me obedecerá. Deixe-me sair.

— Por nada deste mundo! — gritei arrebatado. — Sabe o que a espera?

— Não sobreviverei à desonra — respondeu ela tranquilamente. — Mas talvez eu salve aquele que me libertou e a família que acolheu tão generosamente a minha pobre orfandade. Adeus, Andrei Petróvitch! Adeus, Avdótia Vassílievna! Fostes para mim mais que benfeitores. Abençoem-me. Perdoe-me também, Piotr Andrêitch. Esteja certo de que... de que... — Neste momento, caiu em pranto e escondeu o rosto nas mãos... Eu estava como louco. Minha mãe chorava.

— Basta de tolices, Maria Ivânovna — disse meu pai. — Quem te deixará ir sozinha para o meio dos bandidos? Fica conosco e cala-te. Se é para morrer, morramos juntos. Escuta! O que mais estão dizendo?

— Vocês se rendem? — gritava Schwabrin. — Não veem que daqui a cinco minutos vão ficar torrados?

— Não nos entregamos, bandido! — respondeu meu pai com voz firme. O seu rosto enérgico e enrugado estava extraordinariamente animado. Os olhos faiscavam-lhe sob as sobrancelhas brancas. Dirigindo-se a mim, disse: "Chegou o momento!".

Abriu a porta. As chamas irromperam no depósito e se elevaram ao teto, passando sobre as vigas cobertas de musgo seco. Meu pai atirou, atravessou o umbral chamejante e gritou: "Comigo!". Tomei minha mãe e Maria Ivânovna pela mão e levei-as depressa para o ar livre. À porta, estava o corpo de Schwabrin, atravessado com a bala atirada pela mão decrépita de meu pai. A turba de bandidos, que havia fugido ante a nossa inesperada saída, reanimou-se e começou a cercar-nos. Dei mais alguns golpes com o sabre, mas um tijolo habilmente atirado acertou-me no peito. Caí e perdi os sentidos por alguns instantes. Fui rodeado e desarmado. Recobrando os sentidos, vi Schwabrin sentado sobre a erva ensanguentada e, diante, toda a nossa família.

Seguravam-me pelas axilas. Rodeava-nos uma turba de camponeses, cossacos e basquires. Schwabrin estava terrivelmente pálido. Comprimia com uma das mãos a ilharga ferida. O seu rosto expressava sofrimento e ódio. Ergueu lentamente a cabeça, olhou para mim e disse, com voz fraca e mal perceptível:

— Enforquem-no... e os demais também... com exceção dela...

A turba nos cercou e nos arrastou para o portão. Mas, de repente, eles nos largaram e se dispersaram; Zúrin, com um esquadrão inteiro, de sabres desembainhados, entraram pelo portão.

Os rebeldes fugiram em todas as direções. Os hussardos os perseguiram, golpeando-os e fazendo prisioneiros. Zúrin apeou-se do cavalo, fez uma mesura a meu pai e outra a minha mãe, e me apertou a mão com força.

— Cheguei muito a propósito! — disse-nos ele. — Ah! E aqui está a tua noiva!

Maria Ivânovna corou até a raiz dos cabelos. Meu pai aproximou-se dele e expressou os seus agradecimentos, com expressão calma, apesar de comovida. Minha mãe abraçou-o, chamando-o de anjo libertador.

— Seja bem-vindo a nossa casa — disse-lhe meu pai, conduzindo-o para o vestíbulo.

Passando por Schwabrin, Zúrin parou.

— Quem é? — perguntou, olhando para o ferido.

— É o próprio chefe do bando — respondeu meu pai com certo orgulho, característico de velho guerreiro. — Deus permitiu à minha mão decrépita castigar o jovem malfeitor e vingar assim o sangue de meu filho.

— É Schwabrin! — disse eu a Zúrin.

— Schwabrin! Isso me alegra muito. Tomem conta dele, hussardos! E digam ao médico que lhe cure a ferida e cuide dele como da menina de seus olhos. Schwabrin deve ser apresentado sem falta à comissão secreta de Kazan. Ele é um dos principais criminosos, e o seu depoimento deve ser importante...

Schwabrin dirigiu para nós um olhar lânguido. O seu rosto nada expressava além do sofrimento físico. Os hussardos carregaram-no sobre um capote.

Entramos em casa. Eu olhava trêmulo em volta, lembrando os anos da primeira infância. Nada havia mudado, tudo estava nos primitivos lugares. Schwabrin não permitira que a saqueassem, conservando mesmo em seu rebaixamento uma repugnância involuntária pelas apropriações ilícitas.

Os criados surgiram no vestíbulo. Não haviam tomado parte na revolta e alegravam-se de todo o coração com a nossa liberdade. Savélitch triunfava. Convém saber que, durante o alarme provocado pelo ataque dos bandidos, ele correra para a cavalariça, onde estava o cavalo de Schwabrin, encilhara-o, levara-o furtivamente para fora e, graças à confusão reinante, galopou sem ser notado em direção do rio. Encontrou o regimento, que descansava deste lado do Volga. Ao saber em que perigo nos encontrávamos, Zúrin fez montar o esquadrão, comandou "a galope" — e, graças a Deus, chegou a tempo.

Zúrin insistiu em que a cabeça do membro do *zemstvo* ficasse exposta por algumas horas sobre uma estaca, à entrada do botequim.

Os hussardos voltaram da perseguição trazendo alguns prisioneiros, que foram trancados naquele mesmo depósito onde havíamos sofrido o memorável assédio. Fomos para os nossos quartos. Os velhos precisavam de repouso. Tendo passado em claro a noite inteira, atirei-me ao leito e dormi profundamente. Zúrin saiu para dar ordens.

Ao anoitecer, reunimo-nos na sala de visitas, junto ao samovar, comentando alegremente o perigo passado. Maria Ivânovna enchia as xícaras. Sentei-me ao seu lado e ocupei-me dela exclusivamente. Meus pais pareciam ver com benevolência as nossas ternas relações. Até hoje, aquela noite vive em minha recordação. Eu estava feliz, completamente feliz. E haverá muitos momentos assim, na pobre existência humana?

No dia seguinte, comunicaram a meu pai que os camponeses estavam no pátio para pedir perdão. Meu pai saiu para o patamar da escada. Quando ele apareceu, os mujiques se ajoelharam.

— O que há, gente estúpida? — perguntou ele. — Por que inventaram de se revoltar?

— Somos culpados, senhor! — responderam a uma voz.

— Isso, culpados! Fazem as suas diabruras e depois se arrependem! Perdoo a vocês, pela alegria que Deus me concedeu de me encontrar com o meu filho Piotr Andrêievitch. Está bem: já que estão arrependidos...

— Sim, somos culpados e pedimos perdão.

— Deus nos mandou bom tempo. É preciso enfeixar o feno, e vocês, imbecis, o que fizeram nesses três dias? Prefeito! Leva-os todos para o campo de feno. E olhe lá, animal ruivo, quero que todo o feno esteja nas medas ainda antes de São João! Vão embora!

Os mujiques se inclinaram e foram para as suas tarefas, como se nada houvesse acontecido.

A ferida de Schwabrin não era mortal. Ele foi enviado para Kazan sob escolta. Vi da janela como o deitaram numa carroça. Os nossos olhares se encontraram. Ele baixou a cabeça, e eu me afastei apressadamente da janela: tinha medo de aparentar regozijo pelo aniquilamento e a infelicidade de meu inimigo.

Zúrin precisava seguir adiante. Resolvi segui-lo, apesar de meu desejo de passar mais alguns dias com a minha família. Na véspera, fui à presença de meus pais e, seguindo os usos daquele tempo, ajoelhei-me diante deles, pedindo a bênção para o meu casamento com Maria Ivânovna. Os velhos me levantaram e deram o consentimento com lágrimas de alegria. Levei Maria Ivânovna, pálida e trêmula, à presença deles. Recebemos a bênção. Não vou descrever o que senti naquela ocasião. Quem já esteve na mesma situação, há de me compreender sem maiores explicações. E a quem não esteve, posso apenas expressar minha lástima e aconselhar, enquanto é tempo, apaixonar-se e receber a bênção de seus pais.

No dia seguinte, o regimento estava pronto para partir. Zúrin se despediu de nossa família. Estávamos todos convencidos de que as operações militares terminariam em breve. Eu esperava casar-me um mês mais tarde. Despedindo-se de mim, Maria Ivânovna me beijou na frente de todos. Sentei-me no carro. Savélitch me seguiu mais uma vez, e o regimento iniciou a marcha. Fiquei olhando por muito tempo para a casa de campo que eu deixava novamente. Inquietava-me um sombrio pressentimento. Alguém me sussurrava que nem todas as desgraças haviam passado para mim. O coração previa nova tempestade.

Não vou descrever a nossa campanha e o fim da guerra contra Pugatchóv. Passávamos pelos povoados devastados por Pugatchóv e, involuntariamente, tirávamos aos infelizes habitantes aquilo que os bandidos haviam poupado.

Eles não sabiam a quem obedecer. O governo deixara de funcionar por toda parte. Os senhores de terra escondiam-se nas matas. Os bandos de malfeitores agiam em toda a região. Os comandantes dos diferentes destacamentos enviados em perseguição de Pugatchóv, que já havia fugido na direção de Astrakhan, castigavam ao seu arbítrio culpados e inocentes.

Era terrível a situação em toda a parte do país atingida pelo incêndio. Não permita Deus ver uma revolta russa, insensata e implacável. Aqueles que projetam, entre nós, sublevações impossíveis, ou são homens moços e desconhecem o nosso povo, ou são muito cruéis e não prezam devidamente nem o seu pescoço, nem a cabeça alheia.[5]

Pugatchóv fugiu, perseguido por Ivan Ivânovitch Mikhelson. Logo soubemos de sua derrota total. Finalmente, Zúrin recebeu a notícia do aprisionamento do usurpador e, ao mesmo tempo, a ordem de interromper a marcha. Estava terminada a guerra. Afinal, eu podia ir para casa! Eu estava em êxtase. No entanto, um sentimento estranho envenenava minha alegria.

---

[5] Nas primeiras edições de sua tradução, Boris Schnaiderman inseriu aqui a seguinte nota:

"Púchkin suprimiu, na redação final, o último período, bem como toda a parte deste capítulo referente à visita de Piotr Andrêievitch à casa paterna. Todavia, o trecho consta geralmente das edições de suas obras completas.

Aliás, apesar do que o período acima parece sugerir, Púchkin não era um áulico, um adulador: durante alguns anos de sua vida, esteve desterrado no Sul da Rússia e, mais tarde, na propriedade de seus pais, em Mikhailovskoe.

Entre as suas obras, contam-se muitos versos francamente revolucionários e alguns epigramas mordazes contra altos dignitários." (N. da E.)

# SOBRE A *HISTÓRIA DE PUGATCHÓV*

*Danilo Hora*

Já em 1827 Púchkin teria expressado a amigos o desejo de escrever "um romance histórico que será admirado até pelos estrangeiros"; nesse mesmo ano ele começara a escrever *O negro de Pedro, o Grande*, livro ambientado no século XVI, no tempo de Pedro I e Abram Petróvitch Gannibal, seu bisavô africano.[1] Em sua atração ao gênero do romance histórico não teve importância menor o interesse pela historiografia em si. Púchkin estudou com afinco os doze tomos da *História do Estado russo* de Nikolai Karamzin, poeta e historiador do Império, e considerava-a "não só obra de um grande escritor, mas o feito de um homem honesto". Karamzin era para ele o modelo de como um poeta poderia servir ao Estado sem pôr à venda as suas convicções, ser ouvido pelos tsares sem se prestar a dizer apenas o que eles quisessem ouvir.

Em 1831, Púchkin escreveu a Aleksandr Benkendorf, chefe de segurança de Nicolau I, pedindo autorização para pesquisar os arquivos do Estado: "Não ouso pretender o título de historiador após o inesquecível Karamzin; mas com o tempo poderei realizar o meu longo anseio de escrever uma *História de Pedro, o Grande, e seus descendentes*". Porém,

---

[1] É o que conta Pável Ánnenkov, primeiro biógrafo de Púchkin. *O negro de Pedro, o Grande* foi publicado no Brasil, com tradução de Boris Schnaiderman, em Aleksandr Púchkin, *A dama de espadas: prosa e poemas*, São Paulo, Editora 34, 1999.

uma vez garantido o acesso, sua atenção voltou-se a outro tema: as insurreições camponesas durante o reinado de Catarina II.

\* \* \*

Catarina II subiu ao trono em 1762, quando seu marido Pedro III, tendo reinado por apenas seis meses, foi deposto em uma conspiração envolvendo parte da nobreza palaciana. Pedro morreu na prisão, sob circunstâncias misteriosas, sete dias depois do golpe, e nos anos que se seguiram a Rússia viu surgir uma série de impostores que clamavam ser o tsar deposto. Nas contas de Púchkin, "Pugatchóv foi o quinto a tomar o nome do imperador Pedro III. Não só o povo simples, mas também as classes elevadas acreditavam que o tsar estava vivo e aprisionado".[2]

Emelian Pugatchóv, o mais famoso desses impostores, liderava um exército composto por cossacos, minorias étnicas, servos fugidos, operários e bandoleiros. "Toda a plebe estava com Pugatchóv. [...] O clero era-lhe favorável, e não só os popes e monges, mas também os bispos e arquimandritas. Apenas a nobreza se colocava abertamente ao lado do governo."[3] A essa "plebe" nunca faltaram motivos de descontentamento. Nos anos 1770, em especial, havia entre os

---

[2] Trecho de "Notas sobre a rebelião", um conjunto de apontamentos que Púchkin excluiu do texto de *História de Pugatchóv*, em parte porque seu conteúdo podia ser considerado subversivo. O historiador soviético Natan Eidelman afirma que durante o reinado de Catarina o número de falsos Pedros chegou a quarenta, sem contar uma falsa Isabel II e até um falso Pugatchóv.

[3] De "Notas sobre a rebelião". Tanto a "nobreza" quando a "plebe" eram estratos sociais mais abrangentes na sociedade russa de então, em comparação aos países ocidentais. A "nobreza" compreendia muitas famílias de poucas posses; a "plebe" (em russo, *tchórni narod* — literalmente, o "povo escuro") compreendia camponeses, artífices e operários, mas também o pequeno clero.

agravantes uma recente proibição aos servos de fazer reclamações formais sobre os seus senhores; o recrudescimento da perseguição aos "velhos crentes", cismáticos da Igreja Ortodoxa Russa, com a destruição de seus templos e de vilarejos inteiros; a crescente restrição da autonomia dos cossacos; e, sobretudo, a guerra com a Turquia, que sobrecarregava os camponeses com taxas e serviço militar.

Em seus "decretos imperiais" Pugatchóv concedia liberdade aos servos, autonomia aos cossacos e liberdade de culto aos velhos crentes; abolia taxas, impostos e o sistema de recrutamento militar; conclamava o povo à violência, como mostra o decreto de 31 de julho de 1774: "Aqueles que antes eram nobres em suas terras concedidas pelo Estado ou herdadas — estes inimigos do nosso poder, perturbadores da ordem do Império e arruinadores dos camponeses — devem ser capturados, condenados e enforcados, tratados da mesma forma que eles, que não têm em si o cristianismo, faziam a vós, os camponeses".[4]

Púchkin chamou os decretos de Pugatchóv de "exemplos de eloquência popular". Tampouco passou despercebido ao poeta os matizes paródicos da rebelião, expressos com insolência e ironia características da "eloquência popular" russa. O espetáculo grotesco de um cossaco iletrado, maltratado e em andrajos passando-se pelo ilustrado e "alemão" Pedro III ganha seu epítome no terceiro capítulo da *História de Pugatchóv*, em que Púchkin conta que os aliados próximos de Pugatchóv chamavam-se pelos nomes dos nobres que rodeavam o trono de Catarina: "Tchika era o conde Tchernychev, Chigáiev era o conde Vorontsov, Ovtchinnikov era o conde Panin, Tchumakov era o conde Orlov. [...]

---

[4] Em *Pugatchovschina: iz arkhiva Pugatchova. Manifesty, ukazy i perepiska* (*A revolta de Pugatchóv: do arquivo de Pugatchóv. Manifestos, decretos e cartas*), Moscou, Gossudarstvennoe Sotsialno-Ekonomitcheskoe Izdatelstvo, 1926, vol. 1.

Chamavam também, zombeteiramente, o arrabalde Berd de Moscou, o vilarejo de Kargala, de Petersburgo, a citadela Sakmara, de Kíev".

Massacrada a revolta e executado o impostor, Catarina condenou o episódio e seu perpetrador "ao eterno esquecimento e ao silêncio profundo". Não só o cadáver de Pugatchóv foi queimado, mas também a forca onde ele foi executado e o trenó que o levou ao patíbulo. Foi incendiada a casa onde o impostor nasceu, e seu vilarejo natal, Zimoveiskaia, passou a se chamar Potiômkinskaia,[5] a seus familiares, deram-lhes o nome Sytchov, o rio Iáik, berço de rebeliões, recebeu o nome de Ural, assim como o bando cossaco que habitava a sua margem. Todos os documentos que tratavam da revolta foram postos em sigilo por cem anos.

\* \* \*

A *História de Pugatchóv* nasceu da necessidade de Púchkin de apurar os fatos para a escrita de *A filha do capitão*. Mais tarde, a pesquisa que serviu de base ao ensaio acabou mudando completamente as feições do romance. As duas obras estão completamente interligadas; assim Ánnenkov as relaciona:

> "O modelar romance histórico foi concebido em meio ao pó dos arquivos, cresceu entre processos investigativos e memorandos, retirados por seu autor de prateleiras silenciosas, onde há muito descansavam, e foi terminado em um vilarejo do Ural, para onde Púchkin viajou em 1833, passando por Kazan, Simbirsk e Orenburg, com o fim de conhe-

---

[5] Em homenagem a Grigori Potiômkin (1739-1791), líder militar e favorito de Catarina. Ironicamente, o nome do marechal seria imortalizado na língua russa na expressão "aldeias de Potiômkin", até hoje usada para se referir a algo que não passa de fachada, feito "para inglês ver".

cer e examinar o local onde se passa a ação de seu romance e também de seu ensaio histórico. Essas obras gêmeas estavam destinadas a complementarem-se uma à outra."[6]

A viagem mencionada aconteceu em agosto de 1833, quando Púchkin decidiu interromper a escrita do romance e concentrar-se na *História*. Mal haviam se passado sessenta anos desde o fim da rebelião, e Púchkin pôde conversar com testemunhas oculares daqueles eventos. Alguns desses depoimentos constam na *História* ao lado de fontes oficiais, como os comunicados secretos do Conselho de Guerra e as cartas e decretos que Catarina escreveu de punho próprio.

Entretanto, muito do que Púchkin ouviu não pôde entrar no livro, sobretudo quando o vilão — que "enforcava sem piedade nem qualquer forma de julgamento todos os de origem nobre, fossem homens, mulheres ou crianças"[7] — era lembrado com respeito e afeto:

> "Os cossacos do Ural (especialmente os mais velhos) estão ainda apegados à memória de Pugatchóv.
>
> 'É um pecado falar disso', disse-me uma senhora cossaca de oitenta anos, 'não nos queixamos dele, não nos fez mal nenhum.'
>
> 'É verdade que Pugatchóv foi o seu pai postiço?', perguntei a D. Piánov; o velho respondeu com aspereza: 'Para você é Pugatchóv, mas para mim ele era o grande soberano Piotr Fiódorovitch'.

---

[6] Pável Ánnenkov, *Puchkin v Aleksandrovskuiu epokhu* (*Púchkin na época de Alexandre*), Minsk, Limarius, 1998, p. 271.

[7] Palavras de Catarina II em carta a Voltaire, de 22 de outubro de 1774. Esta carta é citada por Púchkin no capítulo VIII de sua *História de Pugatchóv*.

Quando eu mencionava a sua crueldade bestial, os velhos defendiam-no, diziam: 'Não era a vontade dele; foram os nossos bêbados que o enturvaram'."[8]

Se Púchkin não explorou esse material na *História de Pugatchóv*, empregou-o generosamente na caracterização do impostor em *A filha do capitão*. Dessas histórias e anedotas foram tirados não só motivos lírico-afetivos — como o motivo do "pai postiço", citado acima, que é replicado no sonho de Grinióv[9] —, mas também elementos centrais do enredo. Por exemplo, a gratidão cavalheiresca que Pugatchóv demonstra a Grinióv, embora pareça um motivo clássico da literatura romântica, foi inspirada numa anedota contada no capítulo VIII da *História*: tendo tomado Kazan, Pugatchóv reconheceu entre os prisioneiros um pastor protestante que, certa vez, quando ele andava acorrentado por aquela mesma cidade, dera-lhe uma esmola. "Pugatchóv recebeu-o com benevolência e fez dele coronel. Montaram o pastor-coronel num cavalo basquir, ele acompanhou a retirada de Pugatchóv e, depois de alguns dias, ficou para trás e retornou a Kazan."

Outro elemento central do enredo — o assalto à fortaleza, a execução do capitão e sua esposa, a fuga e o cativeiro da filha do capitão — condensa elementos de dois episódios históricos: a tomada de Nijneoziórnoe, com a resistência solitária do capitão Kharlov, e a heroica defesa de Tatíschevo, eventos presentes no excerto da *História* que reproduzimos neste volume. Na *História*, porém, esses eventos se apresentam ainda mais lúgubres do que no romance: Kharlov foi abandonado pelos poucos homens que já não haviam desertado, e sua esposa, que ele enviara a Tatíschevo para junto

---

[8] De "Notas sobre a rebelião".

[9] Ver pp. 36-7 deste volume.

do pai (como, no romance, Ivan Kuzmitch envia a filha), foi tomada por Pugatchóv como concubina. E mesmo no texto da *História* Púchkin decidiu omitir alguns detalhes mesquinhos, como o fato de que "o pobre Kharlov estava bêbado na véspera do assalto à fortaleza; mas não me atrevi a dizê-lo por respeito à sua coragem e à sua bela morte".[10]

Isto de modo algum significa que Púchkin tenha romantizado seu objeto de estudo. A despeito do que possa sugerir o lirismo lacônico da narração, *História de Pugatchóv* é uma obra de grande integridade e rigor científico, a primeira publicada em solo russo a tratar de uma insurreição popular, uma obra que pôde vir à luz a despeito da escassez de fontes históricas e do clima paranoico e policialesco que permeou o reinado de Nicolau I.

Com *História de Pugatchóv* foi dado um grande passo na revisão desse episódio, que era, até então, tratado como "o tumulto de um populacho bêbado e ludibriado numa província remota da Rússia" — dessa frase, coletada numa resenha de época, o crítico Viktor Chklóvski infere que "a própria escolha do tema abordado por Púchkin era algo perigoso e intolerável naquele tempo".[11] Desde sua juventude Púchkin sabia que a liberdade política de seu país era uma questão "indissociável" da emancipação dos servos; já em 1822 afirmara que "apenas uma terrível comoção seria capaz de acabar com a escravidão na Rússia".[12] *História de Pugatchóv* e *A filha do capitão* ganham outras dimensões quando sabemos que foram escritas por um homem que possuía, ainda, essas convicções.

---

[10] De "Notas sobre a rebelião".

[11] Em *Zametki o proze Puchkina* (*Notas sobre a prosa de Púchkin*), Moscou, Sovietskii Pissatel, 1937.

[12] Do artigo "Sobre a história russa do século XVIII", de 1822.

JEMELJA or EMELKA PUGATSCHEW.

Gravura representando Emelian Pugatchóv (1742-1775), o líder da rebelião cossaca de 1773-1774 que foi preso e exibido em uma jaula de madeira antes de sua execução em Moscou. Reprodução da *London Magazine*, março de 1775.

# HISTÓRIA DE PUGATCHÓV (EXCERTO)[1]

*A. S. Púchkin*

I

O rio Iáik, renomeado Ural por decreto de Catarina,[2] dimana das montanhas que lhe dão seu nome atual; corre rumo ao sul ao longo de suas cadeias, até o ponto onde em certa época foi planejada a fundação da cidade de Orenburg, e onde hoje se encontra o forte de Orsk. Ali, dividindo ao meio a cordilheira dos Urais, ele vira rumo ao Ocidente e, depois de percorrer mais de duas mil e quinhentas verstas, deságua no mar Cáspio. Ele irriga parte da Basquíria e constitui quase toda a fronteira sudeste da província de Orenburg. As estepes do Transvolga o adjazem à direita; à sua esquerda estendem-se tristes desertos onde erram hordas de tribos selvagens, que nos são conhecidas pelo nome de quirguiz-caissaques. Seu curso é rápido; suas águas turvas são repletas de todo tipo de peixe; suas margens são majoritariamente barrentas, arenosas e desprovidas de árvores, porém seus trechos alagadiços são propícios para a criação de gado. Próximo à foz abundam juncos altos, de onde espreitam tigres e javalis.

---

[1] Este excerto compreende os dois primeiros capítulos dos oito que compõem a *História de Pugatchóv* (1834), de Aleksandr Púchkin, omitidas apenas as notas do autor, que ultrapassam em extensão o próprio texto dos capítulos. A tradução é de Danilo Hora.

[2] Catarina II, tsarina da Rússia entre 1762 e 1796. (N. do T.)

Nesse mesmo rio, no século XV, aportaram cossacos do Don que cursavam o Khvalynsk.[3] Eles invernavam em suas margens, que à época ainda estavam recobertas pela floresta e eram seguras em sua reclusão; na primavera partiam outra vez mar adentro, salteavam até o fim do outono e no inverno retornavam ao Iáik. Movendo-se sempre rio acima, por fim escolheram fixar sua morada no trato de Kolovrátnoe, a sessenta verstas do presente Ural.

Nas proximidades dos novos colonos erravam algumas famílias tártaras que haviam se apartado da Horda Dourada e buscavam os amplos pastos à margem daquele mesmo Iáik. No início as tribos eram hostis uma à outra, mas no decorrer do tempo travaram relações de amizade: os cossacos começaram a receber esposas das tribos tártaras. Pela tradição poética nos chegou a seguinte lenda: os cossacos, ardentemente atraídos pela vida celibatária, haviam decidido matar todas as crianças que viessem à luz e abandonar suas esposas sempre que se lançassem a uma nova campanha. Um de seus atamãs, de nome Gúgnia, foi o primeiro a quebrar essa lei cruel, preservando sua jovem esposa, e os cossacos, seguindo o exemplo do atamã, submeteram-se ao jugo da vida em família. Até os dias de hoje, os ilustrados e hospitaleiros habitantes das margens do Ural bebem à saúde da vovó Gugnikha em seus banquetes.

Vivendo de pilhagens e cercados de tribos hostis, os cossacos sentiram a necessidade de um protetor poderoso, e durante o reinado de Mikhail Fiódorovitch[4] enviaram homens seus a Moscou para solicitar que o soberano os amparasse sob a sua mão régia. Um assentamento cossaco nas margens do Iáik sem dono soava como uma conquista e sua impor-

---

[3] Antigo nome do mar Cáspio, emprestado da cidade de Khvalynsk. (N. do T.)

[4] O tsar Miguel I (1596-1645), primeiro da dinastia Románov, que reinou de 1613 até sua morte. (N. do T.)

tância era evidente. O tsar cumulou seus novos súditos de atenções e concedeu a eles um alvará que lhes cedia o rio Iáik da nascente à foz e permitia que dali eles "tirassem o seu sustento como homens livres".

Rapidamente eles cresceram em número. Seguiram cursando o Cáspio, onde uniam-se aos cossacos do Don e, juntos, atacavam os navios mercantes dos persas e saqueavam os vilarejos da costa. O xá queixou-se ao tsar. Cartas de admoestação foram enviadas de Moscou ao Don e ao Iáik.

Em barcos ainda carregados com o butim, os cossacos viajaram pelo Volga até Níjni-Novgorod; de lá foram a Moscou e se apresentaram na corte com semblantes de culpa, cada um levando um machado e um cepo. Foi-lhes ordenado prestar serviço na Polônia e nos arredores de Riga, para que ali redimissem sua culpa; e para o Iáik foram enviados *streltsí*,[5] que no decorrer do tempo formaram uma só tribo com os cossacos.

Stienka Rázin[6] esteve na morada dos cossacos do Iáik. Segundo o testemunho dos cronistas, os cossacos receberam-no como um inimigo. A cidade foi tomada pelo bravo revoltoso e os *streltsí* que ali habitavam foram surrados ou afogados.

Há uma lenda, concordante com os registros de um cronista tártaro, que atribui a essa mesma época as campanhas de dois atamãs do Iáik: Netchái e Chamái. O primeiro, tendo juntado um bando de homens livres, dirigiu-se a Khivá com a esperança de um rico butim. A fortuna foi-lhe favorá-

---

[5] Corpo da infantaria criado em 1550 durante o reinado de Ivã IV, e que viria a se tornar um órgão influente na política russa; ele foi dissolvido por Pedro, o Grande, após a Revolta dos *Streltsí*, em 1698. Entre os papéis de Púchkin foi encontrado um projeto de conto ambientado entre os *streltsí*. (N. do T.)

[6] Cossaco que liderou uma rebelião camponesa entre 1670 e 1671. (N. do T.)

vel. Após a penosa jornada, os cossacos alcançaram Khivá. O cã e seu exército estavam, então, no campo de batalha. Netchái ocupou a cidade sem nenhuma resistência; porém demorou-se ali, tomando tardiamente o caminho da volta. Sobrecarregados pelo butim, os cossacos foram alcançados pelo cã de retorno, e então derrotados e dizimados na margem do Sir Dária. Apenas três voltaram ao Iáik com a notícia da morte do valente Netchái. Alguns anos mais tarde, outro atamã, de nome Chamái, seguiu seus passos. Mas foi feito prisioneiro pelos calmucos das estepes, e seus cossacos seguiram em frente, perderam o rumo e nunca chegaram a Khivá; foram dar no mar de Aral, onde viram-se forçados a passar o inverno. A fome os afligiu. Os infelizes errantes tiveram que matar e comer uns aos outros. Sua maior parte morreu. Por fim, os que restaram enviaram homens ao cã de Khivá, para que ele os amparasse e salvasse da morte famélica. Os de Khivá foram buscá-los, reuniram-nos a todos e os levaram como escravos à sua cidade. E lá eles desapareceram, e o próprio Chamái, alguns anos depois, foi levado pelos calmucos à tropa do Iáik, possivelmente para uma troca de prisioneiros. Desde então arrefeceu o gosto dos cossacos pelas campanhas longínquas. Aos poucos eles se habituaram à vida conjugal e civil.

Os cossacos do Iáik cumpriam com obediência o serviço militar sob ordens de Moscou. Em casa, porém, preservavam sua forma original de governança. Completa equidade de direitos; atamãs e chefes eleitos pelo povo como executores temporários das decisões coletivas; rodas, ou conselhos, em que cada cossaco tinha liberdade de fala e todos os assuntos públicos eram decididos por maioria de votos; nenhuma deliberação por escrito; "para dentro do saco e para o fundo do rio", a punição por traição, covardia, roubo e assassinato — eram estas as características centrais de sua governança. Às simples e rústicas instituições trazidas do Don os cossacos do Iáik acrescentaram outras, locais, que diziam respeito à pesca, sua principal fonte de riqueza, e ao direito de empregar o número necessário de cossacos no serviço militar[7] — instituições extremamente complexas e definidas com imensa sutileza.

Foi Pedro, o Grande, quem tomou as primeiras medidas para que os cossacos do Iáik fossem introduzidos no sistema geral da administração estatal. Em 1720 a tropa do Iáik foi posta sob o comando do Conselho de Guerra. Os cossacos se revoltaram, queimaram sua cidadela com intenção de fugir para as estepes quirguizes, mas foram brutalmente pacificados pelo coronel Zakhárov. Foi realizado um censo entre eles e foram definidos os seus soldos e serviços. Um atamã militar foi indicado pelo próprio Soberano.

Durante os reinados de Anna Ivânovna e Elizavieta Petróvna,[8] o governo tentou dar continuidade ao projeto de Pedro. Para isto contribuiu a dissensão surgida entre o atamã militar Merkúriev e o chefe cossaco Lóguinov e a subsequente divisão dos cossacos em dois grupos: o grupo do atamã e o grupo popular, de Lóguinov. Em 1740 havia a necessidade de reformar a governança interna da tropa do Iáik, e Nepliúiev, que à época era governador de Orenburg, enviou ao Conselho de Guerra seu projeto de uma nova instituição; porém, a maior parte de suas prescrições e conjecturas ainda não havia sido contemplada quando da ascensão de Catarina II ao trono.

Naquele mesmo ano de 1762, os cossacos do grupo de Lóguinov começaram a se queixar de uma série de opressões perpetradas pelos membros da chancelaria que o governo

---

[7] Em nota, Púchkin esclarece que os destacamentos de cossacos não pagavam impostos ao governo; em compensação, a qualquer momento que fossem requisitados deviam prover eles mesmos um número determinado de homens montados e uniformizados. (N. do T.)

[8] As tsarinas Ana (1693-1740) e Isabel (1709-1762), que reinaram, respectivamente, de 1730 a 1740 e 1741 a 1762. (N. do T.)

criara para a tropa do Iáik: a retenção do soldo que lhes fora determinado, taxações arbitrárias e a violação de seus antigos costumes e direitos de pesca. Os funcionários enviados para examinar as queixas não puderam ou não quiseram atendê-las. Mais de uma vez os cossacos se revoltaram, e os majores-generais Potápov e Tcherepov (o primeiro em 1766 e o segundo em 1767) viram-se obrigados a recorrer à força das armas e ao horror das execuções. Foi instaurada uma comissão de inquérito na cidadela de Iáik. Nela constavam os majores-generais Potápov, Tcherepov, Brümfeld e Davídov, e o capitão da guarda Tchebychev. O atamã militar Andrei Borodín foi dispensado; escolheram Piotr Tambôvtsev para o posto. Os membros da chancelaria foram condenados a pagar à tropa uma multa significativa, além de todo o montante retido; eles sabiam, porém, como contornar o cumprimento da sentença. Os cossacos não perderam as esperanças. Tentaram levar suas justas reivindicações à consideração da própria imperatriz. Mas, por ordem do conde Tchernichóv, presidente do Conselho de Guerra, seus enviados foram secretamente detidos em Petersburgo e então agrilhoados e castigados como rebeldes. Enquanto isso, chegaram ordens para que um grande número de cossacos fosse vestido para servir em Kizliár. A administração local tirou proveito dessa oportunidade para retaliar a oposição do povo com novas opressões. Correu a notícia de que o governo pretendia transformar os cossacos em esquadrões de hussardos e de que já havia ordens de raspar suas barbas. A chegada do major-general Traubenberg, enviado à cidadela de Iáik com este propósito, provocou indignação entre o povo. Os cossacos estavam cada vez mais agitados. Por fim, em 1771, a revolta rebentou com força total.

    A causa foi um incidente de importância não de todo menor. Entre o Volga e o Iáik, pelas imensas estepes de Astrakhan e Sarátov, erravam calmucos pacíficos que no começo do século XVIII haviam atravessado as fronteiras com a

China, onde viviam sob proteção do Rei Branco. Desde então eles serviam fielmente à Rússia, guardando suas fronteiras meridionais. Os comissários de polícia russos, aproveitando-se de sua simplicidade e do afastamento da administração central, começaram a explorá-los. As queixas desse povo manso e bondoso não chegaram aos altos poderes, e eles, finda sua paciência, decidiram deixar a Rússia e contatar secretamente o governo chinês. Para eles não era difícil alcançar a margem do Iáik sem levantar suspeitas. E de repente um montante de 30 mil carros cobertos atravessou para o lado de lá e seguiu pela estepe quirguiz, rumo à fronteira com a antiga pátria. O governo precipitou-se a conter a fuga inesperada. A tropa do Iáik recebeu ordem de persegui-los, mas os cossacos (exceto por um número ínfimo) não obedeceram e se recusaram manifestamente a prestar qualquer serviço.

Os administradores locais recorreram às medidas mais severas para pôr fim à rebelião; mas o castigo já não bastava para pacificar os obstinados. Em 13 de janeiro de 1771 eles se reuniram na praça, pegaram os ícones da igreja e, sob a liderança do cossaco Kirpítchnikov, foram à casa do capitão da guarda Durnov, que se encontrava na cidadela de Iáik para tratar dos assuntos da comissão de inquérito. Eles exigiram a dispensa dos membros da chancelaria e o pagamento dos soldos retidos. O major-general Traubenberg foi ao encontro deles com sua tropa e canhões, ordenando que se dispersassem; mas nem o seu comando, nem as exortações do atamã militar surtiram qualquer efeito. Traubenberg deu ordens de abrir fogo; os cossacos correram para os canhões. Houve uma batalha, e os revoltosos venceram. Traubenberg pôs-se em fuga e foi morto diante do portão de sua casa, Durnov saiu ferido, Tambôvtsev foi enforcado, os membros da chancelaria foram postos sob custódia e em seu lugar foi instaurada uma nova liderança.

Os rebelados triunfaram. Enviaram representantes eleitos a Petersburgo para explicar e justificar o incidente sangrento. Enquanto isso, o major-general Freymann vinha de Moscou para pacificá-los trazendo uma companhia de granadeiros e artilheiros. Freymann chegou em Orenburg na primavera; lá esperou a baixa dos rios e, levando consigo duas tropas de campo[9] e vários cossacos, marchou para a cidadela de Iáik. Os rebelados, que somavam 3 mil, saíram a seu encontro; as tropas convergiram a setenta verstas da cidade. Em 3 e 4 de junho houve batalhas violentas. Freymann abriu caminho com metralhas. Os rebelados voltaram às suas casas, pegaram mulheres e crianças e se puseram a atravessar o rio Tchagan, intentando fugir para o mar Cáspio. Freymann, que os perseguira até cidade adentro, conseguiu segurar o povo com ameaças e admoestações. Os que partiram foram perseguidos e quase todos capturados. Uma comissão de inquérito foi instaurada em Orenburg, sob supervisão do coronel Nerônov. Muitos dos rebelados foram enviados para lá. Não havia espaço nas cadeias. Alocaram-nos em lojas da praça do comércio e do pátio de escambos. Foi dissolvida a antiga governança dos cossacos. A liderança foi confiada ao tenente-coronel Símonov, comandante do Iáik. Ele ordenou que em sua chancelaria estivessem presentes o chefe militar Martemián Borodín e o chefe cossaco Mostovschikov. Os instigadores da rebelião foram punidos com o cnute; por volta de 140 homens foram degredados para a Sibéria; outros foram alistados como soldados (NB: todos desertaram); os restantes receberam o perdão e refizeram seu juramento. Essas medidas severas e necessárias restauraram a ordem aparente, mas era uma calma precária. "É apenas o começo!", diziam os rebelados perdoados, "nós vamos sacudir Moscou." Os cossacos estavam ainda divididos em dois grupos: os concordantes e os discordantes (ou, nas palavras assaz exatas empregadas pelo Conselho de Guerra, os obedientes

---

[9] As tropas de campo consistiam de quinhentos soldados de infantaria, cavalaria e artilharia. (N. do T.)

e os desobedientes). Conferências secretas aconteciam em tabernas nas estepes e em chácaras remotas. Tudo prenunciava uma nova rebelião. Faltava um líder. O líder apareceu.

II

Naqueles tempos turbulentos, um andarilho desconhecido deambulava pelos pátios dos cossacos, fazendo trabalhos braçais ora para este, ora para aquele patrão, ocupando-se de todo tipo de ofício. Ele testemunhou a supressão da rebelião e a punição dos instigadores e se retirou por um tempo para os mosteiros do Irguiz.[10] De lá, em 1772, enviaram-no para comprar peixes na cidadela de Iáik, onde foi hospedado pelo cossaco Denís Piánov. Ele se distinguia por seus discursos audaciosos, criticava as autoridades locais e tentava persuadir os cossacos a fugir para os domínios do sultão turco; ele os assegurou de que os cossacos do Don não hesitariam em segui-los, de que ele próprio dispunha de 200 mil rublos e 70 mil em bens na fronteira, e que, assim que lá chegassem, um paxá qualquer daria 5 milhões aos cossacos; por enquanto, oferecia a cada um deles 12 rublos por mês de soldo. Além disso, dizia que dois regimentos vinham marchando de Moscou para enfrentar os cossacos do Iáik, e que à época do Natal ou da Epifania certamente haveria uma rebelião. Entre os "obedientes" houve quem quisesse capturá-lo e levá-lo ao gabinete do comandante como agitador, mas ele se escondeu na casa de Denís Piánov e só foi alcançado na aldeia de Malikovka (que hoje se chama Volgsk), denunciado por um camponês que viajava com ele. Esse andarilho era Emelian Pugatchóv, cossaco do Don e cismático, que atra-

---

[10] Complexo de mosteiros ligados aos cismáticos da Igreja Ortodoxa e localizados na margem do rio Irguiz. Em fins do século XVIII, eram destino comum de todo tipo de fugitivo da lei. (N. do T.)

vessara a fronteira com a Polônia portando documentos falsos, com a intenção de se estabelecer no Irguiz em meio a outros cismáticos. Enviaram-no sob escolta para Simbirsk e, de lá, para Kazan. E como pelas circunstâncias da época tudo o que dizia respeito à tropa do Iáik tinha certa importância, o governador de Orenburg julgou necessário notificar o Conselho de Guerra do Império em um informe de 18 de janeiro de 1773.

Na época, não eram raros os rebeldes entre os cossacos do Iáik, e as autoridades de Kazan não deram muita atenção ao criminoso recém-chegado. O tratamento que Pugatchóv recebeu na prisão não foi mais severo que o dispensado a outros cativos. Seus cúmplices, enquanto isso, não dormiram em serviço. Um dia, sob vigilância de dois soldados da guarnição, ele foi à cidade pedir donativos. Na Zamotchnaia Rechetka (assim se chamava uma das ruas principais de Kazan), uma carruagem leve estava à espera; ao passar perto dela, Pugatchóv de repente empurrou um dos soldados que o estavam acompanhando; o outro ajudou o agrilhoado a subir e deixou a cidade com ele. Isto aconteceu em 19 de junho de 1773. Três dias depois, chegou a Kazan uma sentença de Petersburgo, segundo a qual Pugatchóv deveria ser punido com a chibata e enviado às galés em Pelym.

Pugatchóv apareceu na chácara do cossaco reformado Danila Cheludiákov, onde já havia vivido e trabalhado. Na época, era ali que os malfeitores se reuniam.

De início, o assunto era a fuga para a Turquia: havia muito que os cossacos descontentes nutriam essa ideia. Era sabido que, durante o reinado de Anna Ivânovna, Ignát Nekrássov conseguira pôr o plano em prática e levar consigo uma multidão de cossacos do Don. Até hoje seus descendentes vivem em domínios turcos, preservando, naquela terra que lhes é estranha, a fé, a língua e os costumes de sua antiga pátria. Durante a última guerra contra a Turquia, combateram ferozmente contra nós. Parte deles se apresentou ao imperador Nicolau depois de ele atravessar o Danúbio num barco dos cossacos de Zaporojsk; eles reconheciam a culpa de seus pais, assim como o restante do bando, e voltaram a viver em obediência ao seu soberano legítimo.

Mas os conspiradores do Iáik eram muito apegados à sua rica terra natal. Em vez de fugir, decidiram armar uma nova rebelião. O uso de um impostor pareceu-lhes um bom estratagema. E para isso precisavam apenas de um vagabundo resoluto e audaz, que fosse ainda desconhecido do povo. O escolhido foi Pugatchóv. Foi fácil convencê-lo. Logo o grupo começou a recrutar correligionários.

O Conselho de Guerra fez correr a notícia da fuga do prisioneiro em Kazan por todos os lugares onde ele pudesse estar escondido. Logo o tenente-coronel Símonov tomou conhecimento de que o fugitivo fora visto numa chácara na cidadela de Iáik. Foram enviados destacamentos para capturar Pugatchóv, porém sem sucesso: ele e seus principais cúmplices conseguiram escapar da busca movendo-se de um a outro lugar e multiplicando seu bando a cada minuto que passava. Enquanto isso, estranhos rumores se espalhavam... Muitos cossacos foram levados a interrogatório. Mikhail Kojêvnikov foi capturado e levado ao gabinete do comandante; ali, sob tortura, extraíram dele um importante depoimento.

No começo de setembro, Ivan Zarúbin procurou-o em sua chácara com o segredo de que uma personalidade da nobreza se encontrava na região. Ele instou Kojêvnikov a esconder tal pessoa. Kojêvnikov concordou. Zarúbin o deixou e, naquela mesma noite, antes da alvorada, voltou com Timofei Miasnikóv e um homem desconhecido, os três a cavalo. O estranho era magro, de ombros largos e estatura mediana. Sua barba negra começava a encanecer. Vestia um casaco de pele de camelo, um gorro azul-escuro de calmuco e portava um rifle. Zarúbin e Miasnikóv foram à cidade para "convocar o povo", e o desconhecido, que ficou com Kojêvnikov, deu-lhe a conhecer que era o imperador Pedro III, que os rumores sobre sua morte eram falsos, e que ele, com a ajuda de um guarda da prisão, havia fugido para Kíev, onde ficara escondido cerca de um ano; que depois estivera em Constantinopla e integrara o exército russo em segredo durante a última guerra contra a Turquia; que de lá fora parar no Don, sendo depois capturado em Tsarítsin e logo liberto por cossacos que lhe eram leais; que no último ano estivera no Irguiz e na cidadela de Iáik, onde fora outra vez capturado e levado a Kazan; que a sentinela, subornada em 700 rublos por um comerciante desconhecido, outra vez libertara-o; que depois seguira em viagem rumo à cidadela de Iáik, mas que, tendo ouvido de uma mulher a respeito da rigidez com que os documentos vinham sendo solicitados e inspecionados, voltara à estrada de Syzran, pela qual vagou por algum tempo, até que, finalmente, Zarúbin e Miasníkov foram buscá-lo na taberna de Talovinsk e o trouxeram a Kojêvnikov. Depois de contar essa história absurda, o impostor passou a expor seus planos. Ele pretendia revelar sua identidade às tropas cossacas durante a *plávnia* (a pesca outonal), de modo a evitar a resistência dos soldados da guarnição e o "derramamento desnecessário de sangue". Durante a *plávnia* ele apareceria entre os cossacos, amarraria o atamã, iria direto à cidadela de Iáik e, depois de tomar posse dela, instauraria postos de fronteira ao longo de toda a estrada para que as notícias a seu respeito não corressem prematuramente. No caso de seu plano falhar, iria "se lançar à Rússia", incitar todo o país em sua causa, nomear novos juízes por toda parte (pois os atuais, em suas palavras, ele os descobrira em grande falta com a verdade) e levar o Grão-Príncipe ao trono do Soberano. "Eu mesmo já não desejo reinar", disse ele. Pugatchóv passou três dias na chácara de Kojêvnikov; Zarúbin e Miasnikóv vieram buscá-lo e levaram-no à várzea do Ussikhina,[11]

---

[11] Afluente do rio Iáik, localizado 65 verstas ao sul da cidadela. (N. do T.)

onde ele ficaria escondido até o início da *plávnia*. Kojêvnikov, Konoválov e Kotchurov foram com ele.

A prisão de Kojêvnikov e dos cossacos implicados em seu depoimento acelerou o curso dos acontecimentos. Em 18 de setembro, vindo do posto avançado de Burodin,[12] Pugatchóv chegou às cercanias de Iáik com uma turba de trezentas pessoas e se deteve a três verstas da cidade, do outro lado do rio Tchagan.

Houve grande agitação na cidade. Habitantes recém-pacificados começaram a passar para o lado dos novos rebelados. Símonov enviou quinhentos cossacos para combater Pugatchóv, reforçados pela infantaria e por dois canhões, sob comando do major Naúmov. O capitão Krilov, liderando duzentos cossacos, foi enviado à frente. Um cossaco veio ao seu encontro trazendo sobre a cabeça uma carta ultrajante do impostor. Os cossacos exigiram que a carta fosse lida na frente deles. Krilov se opôs. Houve um motim, metade do destacamento passou imediatamente para o lado do impostor e levou consigo cinquenta dos cossacos leais, puxando seus cavalos pelas rédeas. Ao ver que seu destacamento o havia traído, Naúmov retornou à cidade. Os cossacos capturados foram levados a Pugatchóv e onze deles foram enforcados por ordem sua. Essas primeiras vítimas foram os comandantes Vitochnov, Tchortorôgov, Raíniev e Konoválov; os subcomandantes Rujênikov, Tolstóv, Podiátchev e Kolpakóv; os praças Sídorovkin, Larzianev e Tchukalin.

No dia seguinte Pugatchóv se aproximou da cidade; mas ao ver a tropa que vinha ao seu encontro, bateu em retirada, espalhando seu bando pelas estepes. Símonov não foi em seu encalço, pois não queria destacar os cossacos, temendo que fossem-no trair; e a infantaria não se atreveu a se afastar da cidade, cujos habitantes estavam prestes a insurgir-se. Ele re-

---

[12] Localizado a 79 verstas de Iáik. (N. do T.)

portou tudo ao governador de Orenburg, o tenente-general Reinsdorp, requisitando uma tropa de campo para perseguir Pugatchóv. Mas a comunicação direta com Orenburg já fora cortada e o informe de Símonov só chegaria ao governador depois de uma semana.

Com novos revoltosos multiplicando sua súcia, Pugatchóv foi direto para a cidade de Íletsk[13] e enviou a Portnóv, ao atamã de lá, um comando para que este viesse a seu encontro e se juntasse a ele. Ele prometeu aos cossacos que lhes concederia o direito de portar a cruz e a barba longa (os habitantes de Íletsk, assim como os de Iáik, eram todos velhos crentes), e ainda prometeu-lhes rios, prados, dinheiro e provisões, chumbo e pólvora e a liberdade eterna, ameaçando retaliar em caso de desobediência. Leal a seu dever, o atamã considerou resistir, mas os cossacos amarraram-no e receberam Pugatchóv com pão e sal e badalar de sinos.[14] Pugatchóv enforcou o atamã, festejou a conquista por três dias e, levando consigo todos os cossacos de Íletsk e todos os canhões da cidade, partiu para o forte de Rassipnoe.[15]

Os fortes erguidos naquela região não eram outra coisa que aldeias rodeadas de sebes ou cercas de madeira. Nelas, sob proteção de dois ou três canhões, alguns cossacos e velhos soldados estavam a salvo das flechas e lanças de tribos selvagens espalhadas pelas estepes da província de Orenburg e ao redor de suas fronteiras. Em 24 de setembro Pugatchóv atacou o forte de Rassipnoe. Também ali os cossacos trocaram de lado. O forte foi tomado. Foram enforcados seu co-

---

[13] Localizada a 145 verstas da cidadela de Iáik e a 124 de Orenburg. (N. do T.)

[14] Na Rússia antiga, oferecer pão e sal era um símbolo de hospitalidade. (N. do T.)

[15] Localizado a 25 verstas da cidadela de Íletsk e a 101 de Orenburg. (N. do T.)

mandante, major Velovski, vários oficiais e um sacerdote, enquanto a tropa da guarnição e 150 cossacos foram anexados ao exército dos rebelados.

Rumores sobre o impostor espalhavam-se com rapidez. Ainda no posto avançado de Budorin, Pugatchóv havia escrito ao cã quirguiz-caissaque chamando a si mesmo de Pedro III e exigindo que este lhe enviasse seu filho como prisioneiro e uma tropa auxiliar de cem homens. Nur Ali Khan dirigiu-se à cidade de Iáik pretextando servir de mediador, ao que as autoridades lhe agradeceram, respondendo que esperavam conseguir lidar com os rebelados sem a ajuda dele. O cã enviou ao governador de Orenburg a carta do impostor, escrita em língua tártara. "Nós, que habitamos as estepes", Nur Ali escreveu ao governador, "não sabemos quem é este que percorre as margens do rio: será um enganador ou o verdadeiro soberano? Nosso emissário retornou, declarando que não foi capaz de determinar, mas que o homem tinha a barba clara." E ainda, aproveitando-se da situação, o cã exigiu ao governador a restituição de homens seus feitos prisioneiros, de gado que lhe fora roubado e de escravos que haviam fugido de sua horda. Reinsdorp acorreu a responder que a morte do imperador Pedro III era sabida no mundo inteiro, que ele próprio vira o soberano em seu caixão e beijara-lhe a mão inerte. Ele exortou o cã a entregar o impostor ao governo caso viesse a se refugiar nas estepes quirguizes, prometendo-lhe a mercê da imperatriz. Os pedidos do cã foram atendidos. Ao mesmo tempo que assegurava Reinsdorp de seu devotamento à imperatriz, Nur Ali mantinha relações amistosas com o impostor, os quirguizes faziam preparativos para incursões.

Depois da carta do cã, chegou a Orenburg, via Samara, o informe do comandante da cidadela de Iáik. Logo depois chegou um informe de Velovski informando a captura da cidadela de Íletsk. Reinsdorp acorreu a tomar medidas para estancar o mal incipiente. Ele instruiu o brigadeiro barão Bílov a partir de Orenburg com quatrocentos homens de infantaria e cavalaria e seis tropas de campo rumo à cidadela de Iáik, recrutando homens dos fortes e dos postos avançados que havia pelo caminho. Ao comandante da linha fortificada Verkhneoziórnaia, o brigadeiro barão Korff, ele ordenou que se dirigisse a Orenburg o mais rápido possível, e, ao tenente-coronel Símonov, que destacasse o major Naúmov com cossacos e uma tropa de campo para se juntar a Bílov; deu ordens à chancelaria de Stavropol de enviar quinhentos calmucos armados em auxílio a Símonov e reunir o mais rápido possível os basquires e tártaros da região, em torno de mil homens, para que fossem em socorro a Naúmov. Nenhuma dessas disposições foi cumprida. Bílov havia ocupado o forte Tatíschevo[16] e se dirigia ao Oziórnaia, quando, a quinze verstas percorridas, ouviu tiros de canhão no meio da noite, intimidou-se e recuou. Reinsdorp ordenou-lhe uma segunda vez que se apressasse para malograr os rebelados; Bílov não obedeceu e permaneceu em Tatíschevo. Korff arranjou diversos pretextos. Em vez dos quinhentos calmucos armados, foram reunidos menos de trezentos, que fugiram no caminho. Os basquires e os tártaros não obedeceram à instrução. Foram o major Naúmov e o chefe militar Borodín os únicos a seguir de longe os passos de Pugatchóv, partindo de Iáik, e em 3 de outubro chegaram a Orenburg pelo lado da estepe, reportando os vários êxitos do impostor.

De Rassipnoe, Pugatchóv marchou rumo a Nijneoziórnoe. No caminho encontrou o capitão Súrin, que fora enviado em auxílio de Velovski pelo comandante de Nijneoziórnoe, o major Kharlov. Pugatchóv o enforcou, e sua tropa aderiu aos rebelados. Ao tomar conhecimento da aproximação de Pugatchóv, Kharlov enviou a Tatíschevo sua jovem esposa, filha do comandante Ieláguin, e passou a preparar a de-

---

[16] Localizado a 28 verstas de Nijneoziórnoe e a 54 de Orenburg. (N. do T.)

fesa da cidade. Os cossacos de lá traíram-no e passaram para o lado de Pugatchóv. Restou a Kharlov um pequeno número de velhos soldados. Na noite de 26 de setembro, ele teve a ideia de disparar seus dois canhões para encorajá-los, e foram esses tiros que assustaram Bílov e o fizeram recuar. Pela manhã Pugatchóv apareceu diante do forte. Ele cavalgava à frente de suas tropas. "Tenha cuidado, soberano", um velho cossaco lhe disse, "na certa um canhão vai matá-lo." O impostor respondeu: "Você, que é um velho: já viu um canhão disparar contra um tsar?". Kharlov correu de um soldado a outro ordenando que atirassem. Ninguém obedeceu. Então pegou ele mesmo o rastilho, atirou de um canhão e correu para o segundo. Nesse momento os revoltosos tomaram o forte, precipitaram-se sobre seu único defensor e o feriram. Semimorto, ele pensou que poderia pagá-los e os levou à sua isbá, onde estavam escondidos os seus bens. Enquanto isso já preparavam uma forca atrás do forte; à frente dela Pugatchóv sentou-se para receber os juramentos de lealdade dos habitantes e dos soldados da guarnição. Trouxeram-lhe Kharlov, que já delirava e perdia sangue por causa dos ferimentos. Um dos olhos, atingido por uma lança, pendia-lhe sobre a face. Pugatchóv ordenou que o executassem, junto com os alferes Figner e Kabalerov, um escrivão e o tártaro Bikbai. Os soldados da guarnição intercederam por seu bondoso comandante, mas os cossacos de Iáik, líderes da rebelião, mantiveram-se impassíveis. Nenhum dos supliciados demonstrou covardia. Ao subir no cadafalso, o maometano Bikbai fez o sinal da cruz e pôs ele mesmo o laço no pescoço. No dia seguinte Pugatchóv partiu rumo a Tatíschevo.

    Esse forte estava sob o comando do coronel Ieláguin. A guarnição foi redobrada em número pelo destacamento de Bílov, que fora para lá em busca de proteção. Na manhã de 27 de setembro Pugatchóv surgiu sobre as colinas que o rodeavam. Todos os habitantes viram-no instalar ali seus canhões, e como ele próprio os apontou para o forte. Os rebelados cavalgaram até os muros e incitaram a guarnição a "desobedecer os fidalgos" e se render por bem. Foram respondidos com tiros. Recuaram. Disparos ineficazes continuaram do meio-dia até o cair da noite; nesse momento, os montes de feno que ficavam perto do forte começaram a arder, incendiados pelos assediantes. O incêndio rapidamente alcançou as fortificações de madeira. Os soldados correram para apagar o fogo. Aproveitando-se do tumulto, Pugatchóv atacou pelo outro lado. Os cossacos do forte renderam-se a ele. Ieláguin, ferido, e o próprio Bílov defenderam-se ferrenhamente. Por fim os rebelados irromperam entre os destroços fumegantes. Os superiores foram capturados. Bílov foi decapitado. Ieláguin, que era um homem rotundo, teve a pele arrancada; os malfeitores tiraram a gordura de sua pele e untaram suas feridas com ela. Sua esposa foi cortada em pedaços. A filha, que enviuvara de Kharlov na véspera, foi levada à presença do triunfador enquanto este ordenava a execução de seus pais. Pugatchóv ficou impactado com a beleza dela e tomou a infeliz como sua concubina, poupando, a pedido dela, a vida de seu irmão, de sete anos de idade. A viúva do major Velovski, que fugira de Rassipnoe, também se encontrava em Tatíschevo: estrangularam-na. Todos os oficiais foram enforcados. Muitos soldados e basquires foram levados para o campo e executados com metralha. Os restantes tiveram os cabelos cortados à moda cossaca e foram anexados ao exército revoltoso. O triunfante recebeu treze canhões.

A Orenburg chegava notícia atrás de notícia sobre os êxitos de Pugatchóv. Tão logo Velovski conseguiu reportar a captura da cidadela de Íletsk, Kharlov já anunciava a captura de Rassipnoe; em seguida, Bílov enviou de Tatíschevo notícia da tomada de Nijneoziórnoe; de Tchornoretchenskaia, o major Kruse anunciou o tiroteio nos arredores de Tatíschevo. Por fim (em 28 de setembro), os trezentos tártaros que haviam sido reunidos à força e enviados a Tatíschevo retornaram com a notícia do destino de Bílov e Ieláguin. Assustado com a velocidade com que as chamas se espalhavam, Reinsdorp reuniu em conselho os principais oficiais de Orenburg, que aprovaram as seguintes medidas:

1) Desmontar todas as pontes que atravessam o Sakmara e atirá-las ao rio.

2) Desarmar os confederados polacos[17] presos em Orenburg e enviá-los ao forte Troítski sob vigilância extrema.

3) Empregar os citadinos que tiverem armas na defesa da cidade, pondo-os à disposição do comandante-mor, o major-general Wallenstern; preparar o restante para caso de incêndio, sob liderança do diretor aduaneiro Obukhov.

4) Transferir os tártaros do assentamento Seitov para o interior da cidade e pô-los sob o comando do conselheiro colegiado Timáchev.

5) Pôr a artilharia à disposição do conselheiro estatal em exercício Stárov-Miliukóv, que já servira na artilharia.

Além de tudo, já pensando na segurança de Orenburg, Reinsdorp ordenou ao comandante-mor que reparasse as fortificações da cidade e as deixasse prontas para a defesa. As guarnições dos pequenos fortes que ainda não haviam sido tomados por Pugatchóv foram convocadas a enterrar sua pólvora ou atirá-la ao rio e vir em auxílio de Orenburg.

De Tatíschevo, em 29 de setembro, Pugatchóv partiu para Tchornoretchenskaia.[18] Nesse forte havia alguns velhos soldados sob liderança do capitão Netcháiev, que ocupava o posto do antigo comandante, o major Kruse, que fora se proteger em Orenburg. Renderam-se sem resistir. Pugatchóv mandou enforcar o capitão, atendendo a queixas de uma criada deste.

---

[17] Patriotas poloneses que se insurgiram contra a Rússia entre 1768 e 1772, no conflito que levou à primeira partilha da Polônia. (N. do T.)

[18] Localizado a 36 verstas de Tatíschevo e a 18 de Orenburg. (N. do T.)

*História de Pugatchóv* (excerto)

Deixando Orenburg pela direita, Pugatchóv foi em direção à cidadela de Sakmara,[19] onde os habitantes lhe aguardavam ansiosamente. No primeiro dia de outubro, saindo da aldeia tártara de Kargala, marchou até lá em companhia de vários cossacos. Assim uma testemunha descreveu sua chegada:

"Nas isbás do vilarejo foram estendidos carpetes, mesas foram postas com pão e sal. O pope estava à espera de Pugatchóv com a cruz e os ícones sagrados. Quando ele entrou no forte, os sinos badalaram; o povo tirou os chapéus, e enquanto o impostor desmontava de seu cavalo com ajuda de dois cossacos que o seguravam pelos braços, todos levaram o rosto ao chão. Ele venerou a cruz, beijou o pão e o sal e, sentando-se na cadeira que haviam preparado, disse: 'Levantem-se, filhos'. Então todos beijaram-lhe a mão. Pugatchóv indagou sobre os cossacos da cidade. Responderam-lhe que alguns estavam no serviço, outros haviam sido enviados a Orenburg com seu atamã, Danila Donskoi, e que apenas vinte homens ficaram para o serviço de correio, mas que esses também tinham fugido. Ele se voltou para o pope e em tom severo ordenou que este os encontrasse, com as palavras: 'Você é o pope, então seja também o atamã. Você e todos os habitantes responderão por eles com suas cabeças'. Depois, foi à casa do pai do atamã, que havia lhe preparado o jantar. 'Se o seu filho estivesse aqui', disse ele ao ancião, 'este jantar seria nobre e honesto. Mas seu pão e seu sal estão maculados. Que atamã é esse, que abandona seu posto?' Depois do jantar, bêbado, ordenou que o anfitrião fosse executado; mas os cossacos que o seguiam intercederam; o velho foi apenas acorrentado e passou a noite sob guarda numa das isbás do vilarejo. No dia seguinte, os cossacos encontrados foram trazidos a Pugatchóv. Ele os tratou com bondade e tomou-os

---

[19] Localizada a 29 verstas de Orenburg. (N. do T.)

para si. Perguntaram: 'Que provisões devemos levar?'. E ele respondeu: 'Levem um pedaço de pão: vocês me escoltarão apenas até Orenburg'. A cidade estava então cercada por basquires enviados pelo governador de Orenburg. Pugatchóv foi ao encontro deles e sem derramar sangue trouxe-os para o seu exército. Na margem do Sakmara ele enforcou seis homens."[20]

A trinta verstas da cidadela de Sakmara ficava o forte Pretchítensk. A melhor parte de sua guarnição fora levada por Bílov para Tatíschevo, e o forte foi ocupado sem resistência por um dos destacamentos de Pugatchóv. Oficiais e soldados de guarnição vieram receber os triunfantes. O impostor, como era seu costume, aceitou os soldados em seu exército e pela primeira vez concedeu humilhante clemência aos oficiais.

Pugatchóv ganhava força: duas semanas haviam se passado desde que ele surgira na cidadela de Iáik com um punhado de rebelados, e agora já contava com 3 mil homens de infantaria e cavalaria e mais de vinte canhões. Sete fortes haviam sido tomados ou se rendido. Seu exército crescia enormemente a cada dia. Ele decidiu pôr a sorte à prova: na noite de 3 de outubro deixou a cidadela de Sakmara, atravessando o rio por uma ponte que se conservara a despeito das ordens de Reinsdorp, e seguiu para Orenburg.

---

[20] Segundo nota de Púchkin, foram enforcados "dois mensageiros a caminho de Orenburg, um vindo da Sibéria e o outro de Ufa, um cabo de guarnição, um intérprete tártaro, um velho jardineiro, que estivera em São Petersburgo e vira o tsar Pedro III, e um funcionário das minas de Tverdichevsk". (N. do T.)

# SOBRE O AUTOR

Considerado o maior poeta russo de todos os tempos e o iniciador da literatura russa moderna, Aleksandr Serguêievitch Púchkin nasceu em Moscou, em 1799. Filho de aristocratas, recebeu a melhor educação que sua época podia lhe oferecer, no Liceu de Tsarskoie Sieló, e aos treze anos escreveu seus primeiros versos. Em 1820 publicou o poema épico *Ruslan e Liudmila*, em que expressava seu nacionalismo, e nesse mesmo ano foi banido de São Petersburgo — onde há algum tempo vivia intensamente a vida boêmia da cidade — em virtude de alguns escritos políticos de tendência liberal.

Exilado no Cáucaso, interessou-se pela realidade dos camponeses locais, bem como pelas formas de expressão populares. Foi nessa época que escreveu a peça *Boris Godunov*, publicada em 1831, e os primeiros capítulos de sua obra mais importante, o romance em versos *Ievguêni Oniéguin*, concluído em 1830 e publicado em 1833. A partir de 1826, o tsar Nicolau I permite que Púchkin volte a viver na capital. Uma nova fase tem início na vida e na obra do poeta. Casa-se com a bela Natália Gontcharova em 1831 e com ela passa a frequentar a corte, tornando-se amigo do tsar. Em relação à literatura, agora se dedica menos à poesia e mais à prosa, escrevendo obras-primas como os *Contos de Biélkin* (1831), a novela "A dama de espadas" (1834) e o romance *A filha do capitão* (1836). Nos seus últimos anos, assume posições políticas conservadoras, bastante diversas daquelas dos primeiros anos da juventude.

Púchkin dedicou-se a diversos gêneros literários e em todos eles promoveu transformações radicais. Com uma personalidade alegre, apaixonada e sarcástica, e um estilo vigoroso e transparente, influenciou decisivamente não apenas os seus contemporâneos, mas todas as gerações posteriores de literatos russos. Gógol, a quem Púchkin havia sugerido o tema de *Almas mortas*, diria, na ocasião de seu falecimento: "Não posso expressar a centésima parte da minha dor. Toda alegria de minha vida, minha alegria suprema desapareceu com ele". Púchkin morreu em 1837, dias após ser ferido em um duelo, aos 37 anos.

# SOBRE O TRADUTOR

Boris Schnaiderman nasceu em Úman, na Ucrânia, em 1917. Em 1925, aos oito anos de idade, veio com os pais para o Brasil, formando-se posteriormente na Escola Nacional de Agronomia do Rio de Janeiro. Naturalizou-se brasileiro nos anos 1940, tendo sido convocado a lutar na Segunda Guerra Mundial como sargento de artilharia da Força Expedicionária Brasileira — experiência que seria registrada em seu livro de ficção *Guerra em surdina* (escrito no calor da hora, mas finalizado somente em 1964) e no relato autobiográfico *Caderno italiano* (Perspectiva, 2015). Começou a publicar traduções de autores russos em 1944 e a colaborar na imprensa brasileira a partir de 1957. Mesmo sem ter feito formalmente um curso de Letras, foi escolhido para iniciar o curso de Língua e Literatura Russa da Universidade de São Paulo em 1960, instituição onde permaneceu até sua aposentadoria, em 1979, e na qual recebeu o título de Professor Emérito, em 2001.

É considerado um dos maiores tradutores do russo em nossa língua, tanto por suas versões de Dostoiévski — publicadas originalmente nas *Obras completas* do autor lançadas pela José Olympio nos anos 1940, 50 e 60 —, Tolstói, Tchekhov, Púchkin, Górki e outros, quanto pelas traduções de poesia realizadas em parceria com Augusto e Haroldo de Campos (*Maiakóvski: poemas*, 1967, *Poesia russa moderna*, 1968) e Nelson Ascher (*A dama de espadas: prosa e poesia*, de Púchkin, 1999, Prêmio Jabuti de tradução). Publicou também diversos livros de ensaios: *A poética de Maiakóvski através de sua prosa* (Perspectiva, 1971, originalmente sua tese de doutoramento), *Projeções: Rússia/Brasil/Itália* (Perspectiva, 1978), *Dostoiévski prosa poesia* (Perspectiva, 1982, Prêmio Jabuti de ensaio), *Turbilhão e semente: ensaios sobre Dostoiévski e Bakhtin* (Duas Cidades, 1983), *Tolstói: antiarte e rebeldia* (Brasiliense, 1983), *Os escombros e o mito: a cultura e o fim da União Soviética* (Companhia das Letras, 1997) e *Tradução, ato desmedido* (Perspectiva, 2011). Recebeu em 2003 o Prêmio de Tradução da Academia Brasileira de Letras, concedido então pela primeira vez, e em 2007 foi agraciado pelo governo da Rússia com a Medalha Púchkin, em reconhecimento por sua contribuição na divulgação da cultura russa no exterior.

Faleceu em São Paulo, em 2016, aos 99 anos de idade.

Este livro foi composto em Sabon, pela Franciosi & Malta, com CTP e impressão da Edições Loyola em papel Pólen Natural 80 g/m² da Cia. Suzano de Papel e Celulose para a Editora 34, em outubro de 2022.